Sammlung Luchterhand 267

$07.35

Irmtraud Morgner
Hochzeit
in Konstantinopel
Roman

Luchterhand

Sammlung Luchterhand, Februar 1979
Lizenzausgabe mit Genehmigung des Aufbau-Verlages,
Berlin und Weimar
Alle Rechte für die Bundesrepublik Deutschland,
West-Berlin, Österreich und die Schweiz
beim Hermann Luchterhand Verlag, Darmstadt
und Neuwied 1979
© Aufbau-Verlag, Berlin und Weimar, 1968
Gesamtherstellung bei der Druck und Verlags-
Gesellschaft mbH, Darmstadt
ISBN 3-472-61267-3

Floret silva nobilis
floribus et foliis
ubi est antiquus
meus amicus?
hinc equitavit!
eia! quis me amabit.

                Carmina burana

13. 6.

Eigentlich hatten sie nach Prag reisen wollen. Der Anreisetermin war auf zwei Uhr dreißig anberaumt. Sie nahmen die letzte Bahn. Während der Nacht, die sie anweisungsgemäß in der Empfangshalle des Flughafens verbrachten, führte Paul zwei Telefongespräche mit Klatt. Die Maschine startete fünf Uhr vierzig. Als die Stewardessen Frühstück brachten, bestellte Bele Wodka. Das Fenster zeigte Blech und Wolken. Der Wodka stand ruhig im Glas. »Worauf wartest du?« fragte Paul. »Prost«, sagte Bele. Sie saß am Fenster und sah Wolken, zwei graue, durchsichtige Segmente, Aluminiumblech, etwas Feuerschein, ein Schild. Auf dem Schild, das dem linken ihr zugewandten Armstützenteil des Vordersessels aufgeschraubt war, stand: »Die Rettungsweste ist unter Ihrem Sessel, Your life jacket is under your seat, Спасательний жилет под вашим креслом«, unter ihrem Sessel war die Reisetasche. Bele leerte das Plastgeschirr. Paul aß Zwieback. Über Lautsprecher wurde bekanntgegeben, daß in Kürze Budapest überflogen würde. »Klatt ist nicht der richtige«, sagte Paul. Graue Wolken, weiße Wolken, Mittelplatzbesitzer, die nicht mehr von Tischen eingeschlossen waren, erhoben sich und drängten zu den Fenstern, um die Budapester Wolken zu sehen, die Budapester Wolken hatten Wollgrascharakter, Bele schlief ein. Sie verschlief mehrere Großstädte. Gegen sieben erzitterte die Maschine, homogener Nebel, auf dem Aluminiumblech Wasserperlen, kein Feuerschein, Paul sagte: »Das Fahrgestell«, Nebelschwaden, Wasser mit Bäumen, Wasser mit Dächern, Landung, Aufbruch, Gangway, Regen: Sie waren im Süden. Die Reisegruppe betrat unter Führung des Reiseleiters das Flughafengebäude von Beograd. Er zählte die Reisegruppenmitglieder, die Zahl stimmte mit der im Sammelvisum angegebenen überein. Staubsauger heulten, uniformierte Mädchen klimperten mit dünnen Absätzen über Steinplattenboden, Lautsprecher verbreiteten einen Schlager, den Bele vor fünf Stunden zuletzt gehört hatte, Paßkontrolle, Reiseleiter Konstantin sprach von der Überschwemmungskatastrophe. Paul rauchte Pfeife. Sie war gestopft mit einer Zigarette, die ihm ein Herr anbot, der gegenüber auf einer Polsterbank Platz genommen hatte. Manchmal hob der Herr eine Braue, dann entfielen dem darunterliegenden Auge Funken, das übrige Gesicht blieb unbewegt. »Die kleine Stewardeß hatte Wimpern«, sagte Paul. »Angeklebte«, sagte Bele. »Wir sind auch sehr zufrieden, was«, sagte eine Frau, die sich in Berlin als wissenschaftliche Lehrerin bekannt gemacht hatte. Ihr Mann sagte: »Ganz ausgezeichnet, hatten Sie Tartar oder Schinken.« – »Tartar und Schinken«, sagte Bele. Paul entwickelte eine Theorie für die Beschaffung günstiger Plätze. Aufbruch, Paßkontrolle, Gang durch den Regen, Gangway, Paul eroberte für Bele wieder einen Fensterplatz. Sie sah Blech und Beton. Später ein graues, durchsichtiges Segment, Blech und Wolken. Dem linken ihr zugewandten Armstützenteil des Vordersessels war kein Schild aufgeschraubt. »Kleine Flugzeuge sind gemütlicher«, sagte Paul, »worauf wartest du?« – »Dir gefällt alles, was klein ist«, sagte Bele. Paul sagte: »Frauen können gar nicht klein genug sein, wer dauernd aus dem Fenster sieht wartet auf wen.« Luftdusche, kein Essen, nur Wolken. Paul verhandelte mit Reiseleiter Konstantin. Landung. Aufbruch in südliche Kälte. Ein Vertreter des Deutschen Reisebüros sagte »nun herzlich willkommen« und kündigte eine dreistündige

Busfahrt an. Die Autobusse wären unterwegs. Neue Platztheorie, die sich von der alten insofern unterschied, als sie sich nicht auf das menschliche Sicherheitsstreben, sondern auf das Trachten nach Verbesserung der Existenzbedingungen gründete. Bele bezeichnete derartiges Theoretisieren als unsinnig. Paul entgegnete, es gäbe viele Tätigkeiten, die unsinnig wären, das spräche nicht gegen sie. Bisweilen wären sie sogar schön, in Genf hätte er zum Beispiel fast jeden Tag an irgendeinem Institutsfenster gestanden und auf Bele gewartet. Im Flughafengebäude saßen zwei Soldaten und ein Hund. Bele sprach ihre Urlaubsdefinition, die sich auf Wärme gründete. Paul sprach über ossianisches Wetter. Dr. Stolp sagte, er führe oft ins Ausland. Dr. Stolp war namentlich bekannt, weil Reiseleiter Konstantin häufig »Herr Dr. Stolp« sagte. Die Reisegruppe überfüllte das Flughafengebäude. Paul verhandelte mit dem Vertreter des Deutschen Reisebüros. Der erklärte sich in Personenstandsfragen für nicht zuständig. Paul befragte ihn über die Historie des Ortes, in dem die Reisegruppe für drei Wochen angesagt war. Der Vertreter antwortete, die jugoslawische Reiseleiterin träfe mit den Bussen ein. Eine Dame sagte: »Wanderwetter.« Die wissenschaftliche Lehrerin sagte: »Das Tief zieht ab.« Sie hatte einen Sitzplatz. Bele saß auf ihrem Koffer. Der war mit Stoff bezogen. In den von Kleidungsstücken überworfenen Gepäckhaufen, die den Raum verwüstet hatten, ballte sich Leder. Schlangen vor den Toiletten, Plakate, Volkskunstpuppen in Glasvitrinen, die Soldaten schliefen, der Hund fing Fliegen, das Restaurant schenkte Pilsner für freikonvertierbare Währung und Dinar, Bele fror zwei Stunden. Dann machte sich die jugoslawische Reiseleiterin bekannt und bat um Beeilung. Paul verhandelte mit ihr. Sie zeigte Verständnis und betraute Reiseleiter Konstantin mit der Klärung des Falls. Den Zielort mit dem unaussprechlichen Namen bezeichnete sie als sehr alt. Es regnete nicht mehr. Als die Busse abfuhren, war es dunkel. Paul hatte zwei Heckplätze erobert. Gute Nacht. Mondschein. Glatte Straßen. Dann Serpentinen. Die Busscheinwerfer schnitten Stücke von nackten Felsen, Geröllfeldern. Ginster, Karst aus der Dunkelheit, rechts Felswände, links nichts, links Felswände, rechts nichts, die Reisegruppe wurde mit zwei Bussen transportiert, die überholten einander abwechselnd. Als sich der Mond im Wasser spiegelte, rief jemand: »Das Meer.« Etliche riefen: »Das Meer.« Obgleich Reiseleiterin Boza wiederholt über Mikrophon versicherte, bei dem Gewässer handelte es sich um einen See. Einen großen See offenbar. Einen sehr großen See. Bele war seekrank. Ihrem Nachbarn ging es auch nicht gut. Er redete, als ob er Chauffeur wäre. Bele fragte sich, woher ein Chauffeur 1750 Mark für eine Reise nimmt. Der Buschauffeur fuhr das Rennen ohne Pause. Bele bewunderte seine Kondition. Paul sagte: »Wenn wir auf der Rückreise in Budapest zwischenlanden, bestell ich Klatt zum Flughafen.« Das Meer. Boza schaltete das Mikrophon ein und sagte: »Das Meer.« Der Mond schwamm darin. Der Chauffeur fuhr, als gälte es, den zu retten. Mit sechzig bis siebzig durchfuhr er das Ziel. Männer vor der Schenke, einstöckige Häuser, Hunde, zwei erleuchtete Lebensmittelgeschäfte, der Friseur unterbrach eine Rasur und winkte, Kinder, Schuhladen, Textilgeschäft, Supermarket, der Reiseleiter versprach, das Taschengeld nach der Ankunft im Hotel auszuzahlen. Das Hotel war an einen Hang gebaut. Der Chauffeur fuhr den mit Gepäck und Menschen gestopften Bus den Hang hinauf und hielt vor dem Hoteleingang. Auf dem Steilhang. Und stieg aus. Bele und der Chauffeur aus Berlin stiegen ihm sogleich nach. Der Sieger lehnte grüßend am Kühler. Der Bus fiel nicht ins Meer. In Beles Kopf brummten die Motoren einer IL 18, einer Dakota und eines Busses, »essen«, sagte Boza, »wenn Kopfschmerzen muß essen«. Drei Gänge, die Taschengeldauszahlung ermunterte Bele etwas. Zimmerverteilung. Paul entfaltete wieder Beredsamkeit. Reiseleiter Konstantin prüfte die Papiere und bedauerte. Bele taufte das Ziel der Hochzeitsreise Konstantinopel. Paul trug die Koffer in ihr Zimmer. Gegen Morgen erzählte sie Paul folgende Geschichte:

Das Duell

Ich arbeitete jahrelang an diesem Entschluß. Eines Abends
war er gefaßt. Kurz vor Geschäftsschluß betrat ich den Laden
und verlangte einen luftbereiften Roller. Der Verkäufer zeigte
mir verschiedene Ausführungen. Ich verlangte einen ganz
bestimmten. Der Verkäufer holte drei weitere Exemplare vom
Lager. Ich verlangte den verchromten mit schaumgummigepolsterter Sitzeinrichtung, Hand- und Fußbremse sowie dyna-
mobetriebener Lampe zu achtundneunzig Mark siebzig aus
dem Schaufenster. »Fensterware erst nach Dekorationswech-
sel«, sagte der Verkäufer. »Wann wird gewechselt?« – »In
drei bis vier Tagen.« – »Zu spät«, sagte ich. Der Verkäufer
fragte nach dem Datum des Geburtstages. Ich versicherte,
kein Geburtstagsgeschenk kaufen zu wollen. »Dann kann das
Kind auch noch drei, vier Tage warten«, sagte er. »Keine
Stunde«, sagte ich. »Wie alt ist denn das Kind?« fragte er. »Ich
kaufe den Roller für mich«, sagte ich. Der Verkäufer wechselte einen Blick mit dem Ladenmeister. Der winkte die anderen
beiden Verkäufer zur Kasse. Ich stand vor der Kasse und
wedelte mit dem Scheck. Der Ladenmeister bedauerte, mir
auf Scheck nichts verkaufen zu können. Ich verwies darauf,
daß es sich bei dem Papier um einen Barscheck handelte,
steckte ihn ein und holte vier grüne Geldscheine aus der
Tasche. Der Ladenmeister brachte seine Verwunderung über
die Summe zum Ausdruck, die ich mit mir führte. »Lohntag«,
sagte ich. »Wo?« fragte er. »Bei der BVG«, sagte ich. »Was
arbeiten Sie denn da?« fragte er wieder. »Ich bin Schaffnerin,
krieg ich nun den Roller, ja oder nein.« – »Schaffnerin«, sagte
der Ladenmeister und wechselte Blicke mit seinem Personal.
Ich wechselte das Standbein. Ein Verkäufer riß den Arm hoch,
winkelte ihn an und gab bekannt, daß die Uhr in fünf Minuten
neunzehn Uhr anzeigen würde. Wir verglichen unsere Uhren.
Wir stellten Einstimmigkeit fest. Der Ladenmeister erklärte
seinen Laden für geschlossen und bat mich, morgen wiederzukommen. Ich machte ihn auf die Gesetzwidrigkeit seiner vor-

9

zeitigen Handlung aufmerksam, sagte ferner, daß ich meine
Zeit nicht gestohlen hätte, und bestieg einen der herumstehen-
den luftbereiften, jedoch nicht verchromten und nicht mit
schaumgummigepolsterter Sitzeinrichtung versehenen Roller,
entschlossen, die noch verbleibenden viereinhalb Minuten für
Trainingszwecke zu nutzen. Der Laden war weiträumig. Sein
linker Trakt wurde von vier Säulen gestützt. Ich benutzte ihn
als Slalomstrecke. Obgleich ich noch nie in meinem Leben auf
einem luftbereiften Roller gestanden hatte, nahm ich die
Kurven sicher. An den Schaufenstern standen Leute. Die
Finger meiner rechten Hand lagen auf dem Bremshebel. Vor
jeder Kurve klappte ich ordnungsgemäß den Winker heraus
und verringerte die Geschwindigkeit. Wenn ich am Verkaufs-
personal vorbeifuhr, blendete ich ab und klingelte. An den
Schaufenstern drängten sich Menschen. Die Räder waren
vorzüglich gelagert, einmal mit dem Fuß abstoßen, und ich
hatte Schwung für eine ganze Runde. Menschenmassen bela-
gerten die Schaufenster. Der Geschäftsführer schien um die
Scheiben zu bangen. Er rannte abwechselnd zu den Scheiben
und hinter mir her. Ich war schneller. Er gestikulierte. Stumm.
Das gesamte Personal gestikulierte stumm. Schließlich bestieg
der Ladenmeister das Auslagenpodest, um den Ruf des La-
dens zu retten, wie er später in seiner Anzeige formulierte, er
bestieg wie gesagt das Podest, schnitt den an Perlonfäden
hängenden verchromten, mit schaumgummigepolsterter Sitzeinrichtung, Hand- und Fußbremse sowie dynamobetriebe-
ner Lampe versehenen Roller ab, schrieb einen Kassenzettel
aus, ich betätigte sofort Hand- und Fußbremse und stellte das
relativ gute Gerät zurück zu den anderen seiner Art, dankte,
man händigte mir das absolut gute gegen die auf dem Preis-
schild angegebene Summe aus. Eingepackt, ich mußte ver-
sprechen, den mit mehreren Quadratmetern Wellpappe ver-
hüllten und mit Tauwerk verschnürten Traum nach Hause zu
tragen.
Als Kind hatte ich von Holzrollern geträumt. Ein Mädchen im
Nebenhaus besaß einen gummibereiften zu sieben Mark achtzig. Mit dem fuhr ich nachts über die Dächer. Bisweilen
erschien mir auch ein Tretroller im Traum. Den fuhren Da-

10

men von Schneewittchen aufwärts. Aber luftbereift war auch
der nicht gewesen. Unvergleichbar jenem, den ich bis zur
Unkenntlichkeit verschnürt aus dem Laden schleppte. Ge-
schultert. Die Menge bildete eine Gasse. Ich schritt hindurch
und auf dem schnellsten Weg nach Hause, versprochen ist
versprochen.

Die meisten Bewohner meines Hauses bezeichneten mein
Hobby als komisch. Anfangs. Ein international bekannter
Radballsportler, wohnhaft im Vorderhaus, griff sich an den
Kopf. Ich boykottierte die Verkehrsmittel, deren unentgelt-
liche Benutzung mir zustand, und fuhr täglich mit dem Roller
zum Dienst. Mein Gesundheitszustand verbesserte sich. Doktor Lauritz, der mir von je Bewegung verordnet hatte, war
zufrieden. Als ich ihm verriet, wie ich mich bewegte, verwik-
kelte er mich in ein längeres Gespräch über Gegenstände, die
auf seinem Schreibtisch standen. Außer Dienst bewegte ich
mich vorzugsweise luftbereift, zum Bäcker fuhr ich, zum Flei-
scher, alle Besorgungen erledigte ich mit dem Roller, Plage
wandelte sich in Wohltat, manchmal kaufte ich für meine
Nachbarn ein. Natürlich ließ sich der Lenker schwer bedienen,
wenn prallgefüllte Netze an ihm hingen, aber die Erziehung,
die ich genossen hatte, wertete Angenehmes nur dann mora-
lisch auf, wenn es mit Nützlichem verbunden war. Ich versteu-
erte mich nie, beladen und dennoch leicht fuhr ich dahin,
beflügelt von dieser selten erlebten Harmonie zwischen Moral
und Lust, ich fuhr, ich fuhr, größer als sonst – zwischen
Trittbrett und Straße maß der Abstand zwölf Zentimeter –, ich
schaukelte mich auf den Luftpolstern über die Unebenheiten
von Pflaster-, Asphalt- und Betonstraßen, bergauf stieg ich nie
ab, schon bei geringem Gefälle war Anschieben mit dem Fuß
überflüssig, tat ich es dennoch, überholte ich nicht selten
Straßenbahnzüge auf Strecken, die nur mit einer Geschwindigkeit von dreißig Kilometern befahren werden durften. Oft
saß ich jedoch auch auf dem schaumgummigepolsterten Sitz,
der stahlrohrgestützt über dem verchromten Kotflügel des
Hinterrads angebracht war, lauschte dem Summen des Dyna-
mos und genoß den Fahrtwind. Der stemmte sich gegen mich,
zauste das Haar, bauschte den Mantel, trieb mir Tränen in die

Augen: Ich besiegte ihn immer. So eroberte ich binnen kurzem alle Straßen des Stadtbezirks und eine mir umständehalber bis dahin vorenthalten gebliebene Lustbarkeit des Lebens. Ich pries sie, wo sich Gelegenheit bot. Die meisten Erwachsenen fanden sie wie gesagt komisch. Mitleidig oder auch froh über die unverhoffte Abwechslung sahen sie auf mich herab. Anfangs. Die Kinder hörten mir zu. Alle lachten. Am fünften Tag nach dem Kauf standen, als ich meinen Roller bestieg, um zum Dienst zu fahren, einige Frauen und Männer vor der Haustür. Als ich wiederkehrte, versperrte eine Menschenmenge den Torweg. Ich fragte, ob man gestatten würde, man gestattete, zögernd, eine Frau verlangte Auskunft über den Zweck, zu welchem ich mich derartig benähme. Ich erläuterte den Zweck der Fortbewegung. Man fragte nach dem Sinn. Ich erläuterte den Sinn des Spaßes. Die Menschenmenge sah mißtrauisch zu mir hinauf. Am anderen Morgen besuchte mich ein Herr in meiner Wohnung und protestierte im Namen gegen derartige Provokationen, die einer Verächtlichmachung des Radsports, das heißt einer olympischen Sportart, das heißt einer olympischen Idee, gleichkäme. Ich versicherte ihn meiner Loyalität. Er versicherte mir, nicht zu ruhen. Als ich gegen Mittag den Roller im Straßenbahndepot an seinen Platz stellte, wurde ich zu Betriebsarzt Lauritz gerufen. Er schrieb mir eine Überweisung für die psychiatrische Abteilung der Charité. Auf dem Weg zur Charité merkte ich, daß die Fußbremse defekt war. Da ich den Laden in der Nähe wußte, fuhr ich einen kleinen Umweg und wandte mich vertrauensvoll an den Fachmann, bei dem ich den Roller gekauft hatte. Der Fachmann wechselte sofort einen Blick mit dem Ladenmeister. Dieser winkte die anderen beiden Verkäufer zur Kasse. Ich stand vor der Kasse und erläuterte mein Anliegen. Als keiner von den vier Herren die bedrohte Kasse, wie später in der Anzeige formuliert war, verließ, um den Schaden in Augenschein zu nehmen, führte ich den Schaden vor. Ich stellte den rechten Fuß aufs Trittbrett, stieß mich mit dem linken zweimal kräftig ab, trat mit dem linken Absatz mehrmals auf den Bremsknopf, vergebens, ich fuhr zwei Runden durch den weiträumigen Laden, alle anwesenden Käufer konnten bestätigen, daß die Fußbremse nicht funktionierte. Der Ladenmeister nahm meine Personalien auf, händigte mir einen Reparaturzettel aus und behielt den Roller. Kurz darauf bekam ich die Mitteilung, daß gegen mich eine Anzeige wegen groben Unfugs sowie Erregung öffentlichen Ärgernisses vorläge.

Da machte ich mich zum drittenmal auf den Weg, betrat den Laden kurz vor der Mittagspause, stellte mich in einer Entfernung von zirka zwei Metern vor dem Ladenmeister auf, gab die Bedingungen bekannt, verzichtete auf einen Sekundanten, gewährte ihm drei, nahm die Schultern zurück, zählte, holte tief Luft und lachte ihn tot.

[handwritten annotations:]

disorderly conduct

bei einem duell

Benutzt ihren Humor als Waffe + er hat keine Macht mehr über sie.

Humor - over ordinary things or you go crazy

Bewegung - Sie kommt schneller vorwärt.
Eine Veränderung.   Schafnerka - ist Bewegung.
Viele Helde - Heldinen haben mit Transport zu tun.

Gegenstand   Konvension   kindlich ist
Wiederstand   Konforming   besser.
Proteste.   the Plot - fantasy   Freier
*   creativität*

*   mut anders zu sein (Meistens have*
*   kein Mut dafür)*
Bewrocratie
Ordnung
autorität   Sternkind like
*   Christa t.*
Punktlichkeit
*   älter - when's*
Typisch Deutsche   your birthday like
Sekunde   a kid.
minute
The when are so important   spielerisch
Serious   13   Humor

Fünf Uhr vierzig Wecken. Verflucht. Sonnenwecker. Gelobt. Als Bele hinaustrat, um den Ort abzunehmen, sah sie die Zwillinge liegen. Über Liegestühle gebreitet, die standen auf einem Balkon, der Bele größer erschien als der ihre, Bele wohnte im vierten Stock Hauptgebäude, die Zwillinge wohnten im zweiten Stock Seitenflügel, sie glichen einander von Angesicht und Wuchs. Der eine trug eine weißgestellige Sonnenbrille, rote Badehosen und braune Sandalen. Der andere fragte: »Waren Sie schon im Wasser?« Er trug eine weißgestellige Sonnenbrille, rote Badehosen und braune Sandalen. Bele trug ein Nachthemd. Als ihr das auffiel, fand sie sich bereits in ein Gespräch über fehlende Badezimmer verwickelt. Das Gespräch querte die Fassade wie eine Gerüstverschwerterung, das Ehepaar Janotte kündigte eine Beschwerde an, ein Herr vorgeschrittenen Alters wollte abreisen, wenn er kein Einzelzimmer bekäme, Dr. Stolp behauptete, kein Auge zugetan zu haben, Konstantinopel lag in einer Bucht, die von steilfelsigen Halbinseln flankiert wurde, »eine zauberhafte Aussicht«, sage Bele zu Paul. Der schlief immer noch. Die Halbinseln waren bebaut, rechts kastellartig, links hotelartig. Die Bucht hatte einen Strand, der von der Straße durch eine Mauer getrennt war. An der Kleinstmole hatten drei Fischerboote festgemacht. Unterhalb des Kastells brandete das Meer an eine Kaimauer. Das Meer war blaugrün und mit der Ostsee nicht zu vergleichen, in der Bucht war es blaugrün und hatte dunkle Flecken, vor der Bucht trug es weiße Kämme, »zu schade zum Baden«, sagte Paul gegen sieben. Bele trug seinen Koffer in sein Zimmer, zerwühlte das Bett und öffnete das Fenster. Es gewährte eine Aussicht auf den Hof. Lebende Hühner in Stiegen, Fässer, Flaschen, Duft von kaltgepreßtem Sonnenblumenöl und Knoblauch, Bele änderte ihr strategisches Ziel und gewann einen Verbündeten. Er schickte sich an, ungewaschen die Küche zu stürmen, abends jäh, morgens jäh. Das Klima entsprach Beles Urlaubsdefinition. In Prag regnete es vielleicht. Das Hotelrestaurant hatte zwei Eßsäle, die durch eine Glaswand getrennt waren. Im kleinen Eßsaal saßen die Westdeutschen, im großen saß unter anderen die Reisegruppe, der Paul und Bele angehörten. Paul hatte einen Tisch mit zwei Stühlen ausgesucht. Im großen Eßsaal gab es nur einen Tisch mit zwei Stühlen. Alle anderen dreißig bis vierzig Tische umstanden vier Stühle. Die eisernen Stuhlbeine erzeugten Schab- und Quietschgeräusche, wenn sie über den Steinboden gezogen wurden. Am rechten Nebentisch hatten die wissenschaftliche Lehrerin mit ihrem Mann, der Chauffeur aus Berlin und der Herr vorgeschrittenen Alters Platz genommen, der wiederholte seine Drohung. Paul schöpfte neue Hoffnung und eine Zimmertauschtheorie folgenden Inhalts: Wenn der Herr vorgeschrittenen Alters, der Klodwig heißen könnte, abreist, hat Reiseleiter Konstantin Arbeit. Arbeit ist im Urlaub üblicherweise unerwünscht. Konstantin ist ein üblicher Mensch: gegen Debatten. Debatten könnten vermieden werden durch Zimmertausch. Da der Reisegruppe lediglich zwei Einzelzimmer zur Verfügung stehen, kann nur mit diesen getauscht werden. Diese bewohnen wir. Klodwig und der Chauffeur aus Berlin bewohnen ein Zweibettzimmer. Result: Im Zuge der Verbesserung der Urlaubsatmosphäre beziehen wir ein Zweibettzimmer. Paul trug Reiseleiter Konstantin eine taktische Variante der Theorie vor. In Gegenwart von Klodwig und dem Chauffeur aus Berlin. Result: Klodwig verzichtete. Eine Schmalseite des Tischs, an dem Paul und Bele saßen, stieß an Wand. Paul ritzte mit dem Daumennagel einen Strich in die weißgetünchte Wand. Dann aß er Ei im Glas und Wurst und viel Weißbrot, und Bele aß Schwarzbrot mit Butter und Marmelade, die war so süß, daß sie im Rachen brannte. Aus den Papierservietten faltete Paul Tüten, blies sie auf und hieb sie gegen die Tischplatte. Nur ein Knall. Nach dem Frühstück versammelte der Vertreter des Deutschen Reisebüros die Reisegruppe auf der Veranda, zählte und gab Hinweise, Essenzeiten, Badefelsen, Stadt, Stadtstrand, Sonnenbrand, Fahrten, Basar und Schlangen betreffend. Die Schlangen teilte er ein in giftige und ungiftige. Die Giftigen wären gefährlich und hießen Vipern, Spielfilme würden in diesem Land nicht syn-

chronisiert, wenn im Freilichtkino deutsche Filme gezeigt würden, könnte man sie also verstehen, Haifische wären noch
nicht gesichtet worden, die Stadt wäre ein ehemaliges Seeräu-
bernest, viele Albaner, Komitees zur Bekämpfung der Blutrache, gute Erholung. Paul wollte solche Albaner sehen, Abstieg
in den Ort, der wie gehört kein Ort war, sondern eine Stadt.
Prag war vielleicht zwanzigmal so groß, aber nichts Besonde-
res. Steile Hotelabfahrt, auf der gestern der Bus wunderbarer-
weise stehengeblieben war, Feigenbäume, im Schatten eines
blühenden Granatapfelbaumes ein Hund, dann überquerten
Paul und Bele die Asphaltstraße, die sich in Serpentinen durch
Konstantinopel wand, W. hatte auch nur eine Straße gehabt
und war ein Dorf. Paul und Bele benutzten die Straße nicht,
sondern stiegen Stufen, ausgetretene Sandsteinstufen, solche
gab es in Prag auch, links weiß- und rotblühender Oleander,
Agaven, ein niedriges schindelgedecktes Haus, die meisten
Häuser Konstantinopels waren mit Schindeln gedeckt, unebe-
ne, weißgetünchte Häuserwände, rote Dächer, das Minarett
trug die gleichen Farben und war fast so hoch wie das Hotel, in
dem Paul und Bele wohnten. Es lag außerhalb der Bucht. Alle
Hotels lagen außerhalb, alle, bis auf das, in dem sie wohnten,
waren neu, Paul ärgerte das. In einigen arbeiteten noch Handwerker. Die steil ansteigende Küste der Bucht war dicht mit
kleinen Häusern bebaut, aus reichlicher Entfernung betrachtet, konnte man den bekannten Eindruck gewinnen, als ob sie
nicht nebeneinander, sondern aufeinander errichtet wären,
Beles Freundin Anne hatte ihn im Wohnzimmer hängen. Auf
Kunstbastgewebe gemalt, die Bambusstäbe an der oberen und
unteren Schnittkante waren mit den Kettfäden umknüpft. An
einem Kiosk hing eine Eisfahne. Der Verkäufer bot auch
Limonade und Joghurt feil, er klopfte mit der Eisportionier-
zange auf seine Kühltruhe, grüßte englisch und deutsch und
schnalzte mit der Zunge. Bele kaufte ihm ein Glas Joghurt ab.
Paul sagte: »Fraß.« Eine ärztliche Anordnung verbot ihm
kalte Speisen. Heiße bekamen ihm auch nicht. Die Reise hatte
ihm die Akademie besorgt. Ein Erdnußverkäufer. Er grüßte
englisch und deutsch und hob eine Braue, dem darunterliegenden Auge entfielen Funken wie ein Monokel, das übrige

Gesicht blieb unbewegt, Bele kaufte ihm eine Tüte Erdnüsse ab. Paul sprach über das Nobelpreisalter. Ein Kaffeegarten, ein Lebensmittelkiosk, der Thunfischkonserven führte, Bele sagte: »Was vom Taschengeld übrigbleibt, geben wir aus für Thunfischkonserven«, hinter blühenden Mimosenbäumen das vom Vertreter des Deutschen Reisebüros erwähnte Freilicht-kino, eine Andenkenbude, da sah Bele gar nicht hin. Die Sonne brannte auf das obere Drittel ihres Rückens, Paul erbot sich, ihn mit dem Frottiertuch zu behängen, das er zusammen-gerollt unter der Achsel trug, in das Tuch war seine Badehose gewickelt, Bele lehnte ab. Der Rückenausschnitt war der Schmuck des Kleides, sah er überhaupt, daß sie ein Kleid anhatte? Im Schatten einer großen Pinie stand ein kleines Restaurant. »Die erste Pinie meines Lebens«, sagte Bele. Vor der Abreise hatte ihre Mutter gesagt: »Ich möchte mal unter Pinien sitzen und Zikaden hören.« Und der Sohn hatte ihr aufgetragen, eine Teufelsgeige mitzubringen. Paul sagte, er würde es schaffen. Das kleine Restaurant ähnelte einem Lau-benbau. Das Hauptgebäude hatte eine Tür, zwei Fenster und ein etwa fünf Meter langes Schild mit der Aufschrift *Restau-rant*, es war in Türhöhe angebracht und erstreckte sich über die gesamte Front. Rechts und hinten waren drei, links zwei Erweiterungsbauten an das Hauptgebäude angefügt, die Er-weiterungsbauten waren von Holz aufgeführt, im rechten, frontal offenen Holzbau stand das Schankbüfett für den Gar-ten. Im Garten standen Tische, Klappstühle, Oleandersträu-cher in Holzkübeln und zwei Bratroste. Darauf bewegten zwei Männer in weißen Jacken Fleischstücke mit Holzzangen. Oder Fischstücke, Restaurantgäste versperrten Bele die Sicht. Der Rauch des Holzkohlenfeuers sammelte sich unter dem Ast-schirm der Pinie. Es roch wie in Pauls Hotelzimmer, wenn das Fenster geöffnet war. »Ich möchte mal unter einer Pinie sitzen und Zikaden hören«, sagte Bele. Paul brauchte Streichhölzer. Sie betraten einen Gemischtwarenladen. Strandhüte, Badean-züge, Andenken, Guslen, Zigaretten, Tabak, Volkskunstschu-he, ein schöner Mann hinter dem Ladentisch. Ein zu schöner Mann, der mehrere Bündel Volkskunstschuhe auf den Laden-tisch warf, Bele probierte etliche an, alle zu groß, er holte größere vom Lager und verkaufte Paul nebenbei eine Schachtel Streichhölzer, die größeren Schuhe paßten auch nicht, der Gemischtwarenbeau bedauerte und dankte und bat, morgen wiederzukommen. Bele gab ihrer Verwunderung über derartige Gepflogenheiten in zwei Sätzen Ausdruck. Paul bezeichnete sie mit dem Wort »albern«, er ging zu Hause nicht einkaufen. Anschließend Stadtstrand, ausziehen, baden, duschen anziehen, umziehen, Mittagessen, Badefelsen, ausziehen, baden, duschen, ölen, braten, Granatapfelsaft trinken, weiter braten, baden, anziehen, Abendessen, aufschreiben, Hochzeitsreisen muß man aufschreiben, weil man sie selten erlebt. Abends behauptete Paul, müde zu sein. Deshalb erzählte ihm Bele folgende Geschichte:

Franz, der Dichter, bewohnte ein kleines Haus mit großen blau-weiß gestreiften Markisen. Wenn ich an dem Haus vorbeikam öffnete er manchmal das Fenster, legte die rechte Hand auf die linke Brust und neigte ein wenig den Kopf. Und ich neigte den meinigen auch ein wenig. Selten. Ich kam nur zwei-, dreimal im Jahr an dem dürftigen Haus vorbei, dessen Erdgeschoß der Dichter gemietet hatte.

Eines Tages verirrte ich mich in den Schluchten der Stadt. Ich fragte nach dem Weg, man wies ihn mir, ich lief und lief, als der Abend hereinbrach, passierte ich Straßen, die ich nie gesehen hatte. Wo war ich? Häuser. Menschen. Bäume. Ich lehnte mich an den Stamm eines Baumes und überdachte meine Lage. Nackte Zweige spießten den Himmel. Sein Saft sickerte in den Blutrinnen. Mein Mantel war durchnäßt, ich fror. Als ich Müdigkeit spürte, zog ich Mantel, Schuhe und Strümpfe aus, entfernte mich sechs Schritte, nahm Anlauf, krallte Finger und Zehen in die Borke eines Stamms und erklomm den Wipfel des Baumes. Dächer, soweit das Auge reichte. Wo war ich zu Hause? Ich zählte Antennen, schaukelte mich in den Ästen, spuckte runter. Als ich beschließen wollte, auf dem Baum zu nächtigen, gewahrte ich in der Ferne bläulichen Rauch. Er stieg nicht auf in Schwaden, sondern in Ringen. Der Wind trug die bläulichen Ringe, die sich ständig vergrößerten und dabei verblaßten, bis sie in der Dämmerung vergingen, zu mir herüber, in den Ästen meines Baumes vergingen sie und hinterließen einen strengen Geruch. Ich prägte mir die Richtung ein, aus der das Rauchzeichen kam, stieg ab, zog Strümpfe, Schuhe und Mantel an und machte mich auf den Weg. Wenig später stand ich vor dem kleinen Haus mit den großen blau-weiß gestreiften Markisen. Sein Dach war mit einem roten und einem blauen Schornstein gespickt. Die Rauchringe erhoben sich aus dem blauen Schornstein. In unregelmäßigen Abständen. Hinter einem der markisenbedachten Fenster brannte eine Lampe. Ich klopfte mit den Fingerknöcheln ans Fensterglas. Sogleich wurde das Fenster geöffnet. Von Franz, dem Dichter, er legte die rechte Hand auf die linke Brust und neigte den Kopf. Dreimal. Ich neigte meinen zweimal und fragte, ob er Schnaps im Hause hätte, mir wäre kalt. Er bot mir seinen ganzen Schnaps und sein ganzes Haus an, umfaßte meine Taille mit seinen Händen und hob mich durchs Fenster in die Stube. Die war geschmückt mit einem Brotschrank, einem Rennrad und einem strengen Geruch. Nachdem ich mich am Schnaps und am Ofen gewärmt hatte, öffnete Franz eine Tür des Brotschranks, nahm eine dünne Mappe heraus, mit beiden Händen, und legte sie vorsichtig auf den Tisch. Dann öffnete er die Mappe, wischte sich die Hände an einem Taschentuch ab und ergriff mit Daumen und Zeigefinger eines der wunderweißen Blätter, die maschinenbeschrieben waren, jeweils mit vierzehn Zeilen. Er stellte sich in die Mitte des Zimmers und las mir zweiundvierzig Zeilen vor, in denen von Eos, Scheißhäusern und anderen unerhörten Gegenständen die Rede war. Dann zündete er sich eine Zigarre an. Und setzte sich. In einem Campingstuhl, der unter einem großen Schwarzblechtrichter stand. Franz sah mit seinen bunten Augen nirgendwohin und blies in unregelmäßigen Abständen bläuliche Rauchringe in den Trichter. »Schön«, sagte ich. Er sprang auf, warf die Zigarre hinauf in den Trichter, wie man einen Schlagball wirft, und sagte drei weitere Sonette auf, auswendig. »Du bist ganz schön«, sagte ich. Mit den nächsten drei Sonetten schrie er das Licht aus.

Als ich mich am anderen Morgen von ihm verabschiedete, sagte Franz, der Dichter, er wolle mir seinen Schatten mitgeben, damit ich nicht einsam wäre. Ich lehnte sein Anerbieten ab und kehrte zurück in meine Wohnung. Die wollte ich nie mehr auf Zeit mit einem Mann teilen. Auch nicht mit dem Schatten eines Mannes. Denn ich liebe die Männer.

Sieben Tage später klopfte Franz, der Dichter, an die Tür meiner Wohnung und fragte, als ich öffnete, ob ich Schnaps im Hause hätte, ihm wäre kalt. Ich bot ihm meinen ganzen Schnaps, bestehend aus einem Viertelliter Zuika, und mein ganzes Haus, bestehend aus Stube und Küche, an. Er soff den Schnaps, verpestete Stube und Küche mit Zigarrenrauch und sagte, meine Frisur wäre unter aller Sau. Ich dankte. Er trug eine misogyne Ode vor, die mir gewidmet war. Ich bedankte mich. Er fraß Zigarren. Als der Abend hereinbrach, hatte er eine Kiste ausgefressen. Da meine im zweiten Hinterhaus gelegene Wohnung über keinen Rauchabzug verfügte, konnten wir einander nur noch undeutlich erkennen. Ich öffnete auch nicht das Fenster. Er saß in meinem Sessel – ich hatte nur einen – und sah mit seinen bunten Augen nirgendwohin, ich saß auf dem Teppich. Gegen Mitternacht fragte ich ihn, ob er vielleicht traurig wäre. Er wies die Unterstellung derartigen Gefühlskitsches entschieden zurück. Dann stand er auf, pflückte eine von den blauen Blumen, die auf seinem Kopf wuchsen, reichte sie mir, wobei er die rechte Hand auf die linke Brust legte und sich tief verneigte, und fragte, ob ich ihm gestatten würde, mich zu vögeln. Ich gestattete.

Als er sich am anderen Morgen von mir verabschiedete, lobte er meine zerstörte Frisur. Ich verschloß die Tür hinter ihm mit beiden Schlössern und legte die Kette vor. Als ich zurück in die Stube kam, saß der Schatten von Franz, dem Dichter, in meinem Sessel.

Von nun an saß er immer drin, wenn ich zu Hause war, ich mußte mir also noch einen Sessel kaufen. Wenn ich die Wohnung verließ, folgte er mir, manchmal mit Abstand, manchmal auf den Fersen. Der Schatten war kleiner als Franz: so groß wie ich. Im Dienst, da meine Aufmerksamkeit auf die Beförderung der Fahrgäste gerichtet war, konnte ich den Schatten schwer erkennen. Während der frühen Morgen- und späten Nachmittagsstunden war mein Wagen überfüllt, und ich verlor den Schatten gänzlich aus den Augen. Später, auf dem Heimweg, begleitete er mich wieder. Ich teilte mit ihm keineswegs meine Wohnung. Denn ich liebe die Männer, die alle meine Werke sind.

Kurze Zeit verlief ich mich nicht. Oft klopfte ich an ein Fenster des kleinen Hauses mit den großen blau-weiß gestreiften Markisen. Oft nächtigte ich in seinen Mauern. Bei Franz, dem Dichter, der mich befähigte, ihm einen Schatten zu schenken.

Sie lagen von früh bis spät unter den Kiefern. Das Steilufer war mit Kiefern bewachsen, die hatten vollere Kronen als jene in W. Und mehr Zapfen, in der Mittagshitze öffneten sich knisternd die Zapfenschuppen, Paul und Bele lauschten dem reisigfeuerähnlichen Geknister und dem Lärm, den der Wind vom Badefelsen herüberblies. Warmer Wind. Wolkenloser Himmel, sehr hoch. Drin ein paar Möwen. Käfer mit grüngoldenen Flügeldecken summten in taumelndem Flug über die Klippen. Vögel krakeelten im filzigen Astwerk. Das senkte sich zum Meer hin. Wuchs ihm zu. Keine Windflüchter. Aber Besenginster wie an der Ostsee. Nur mehr. Die Berge jenseits der Straße waren gelb. »Wenn Besenginster blüht, Frauen gefährlich«, lehrte Boza, sie lag auf der Nebenklippe. »Weißt du noch, was ich am ersten Tag gesagt habe?« fragte Paul. »Wollen Sie bei uns arbeiten«, sagte Bele. – »Das auch.« – »Darf ich Sie zum Bahnhof begleiten.« – »Das auch.« – »Was hatten Sie im Abitur in Mathe.« – »Das Wichtigste hast du vergessen, ich habe gesagt: Wir haben die gleiche Wellenlänge, in meinem Zimmer habe ich das zu dir gesagt, nachdem ich dir etwas über unser Institut erzählt hatte.« – »Du hast mir was über das Bohrsche Atommodell erzählt, du maltest es sogar mit Kreide an die Tafel, doch, ich kann mich genau erinnern, du sprachst wie Käptn Briese vom Kinderfunk.« Paul bestritt das. Er wollte Bele sogar einreden, daß sie fähig wäre, physikalisch zu denken; ein größeres Kompliment hatte er nicht zu vergeben. Sie badeten oft. Paul schleppte Bele stets ein Stück über die Tuffklippen. Als ob das Meer sein Haus wäre und die Klippen die Schwelle: Hochzeitsbrauch. Im Institut hatte er Bele gelegentlich ein Stück durch den Korridor geschleppt, rechts und links Türen, aus denen jeden Augenblick Sekretärinnen, Laborantinnen, Diplomanden, Doktoranden, Doktoren oder der Professor treten konnten, die Nähe des Skandals erhöhte das Vergnügen, im vergangenen Dezember lief Paul über den zugefrorenen

See, weil er wußte, daß die Eisdecke noch dünn war. Ein Teilnehmer der Kollaborationstagung lief mit, ein Engländer, die Westdeutschen hielten Bele für eine Dame vom Staatssicherheitsdienst. Paul schleppte Bele natürlich nur ein Stück über die Klippen, klettern mußte sie allein. Er kletterte barfuß. Die Klippen sahen weich aus, schwammartig, aber ihre porige Oberfläche war scharfgratig, abends mußte Bele Pauls Füße einpflastern. An den Vertiefungen, die vom Wasser gewaschen worden waren, hatte sich Salz abgelagert, in manchen Salzschüsseln stand warmes Wasser, nachts war das Meer fleißiger. Es leckte und schlug und höhlte den Stein, der eine schräg ins Meer verlaufende Schichtung hatte, die tiefen Längsfurchen hatten wahrscheinlich die Bäche gewaschen, die nach Regengüssen von den Bergen stürzen wollten, in Konstantinopel würde es selten regnen, hatte die wissenschaftliche Lehrerin behauptet, die üppige Vegetation würde vom Bergwasser schmarotzen. Bele freute sich des Zufalls, der sie in diese Gegend verschlagen hatte, nach Prag konnte jeder reisen. In Wasserspiegelnähe waren die Klippen schwärzlich, weiter unten mit trockenen, dann mit schlüpfrigen braunen, schließlich mit grünen Algen gepolstert, unverhofft vermißten die Füße Grund. Paul schwamm nur in tiefen Gewässern, er schwamm weit hinaus, Bele ihm nach, er achtete darauf, daß er schneller war als sie, er war neunzehn Zentimeter länger. Das Meer war lau und trug, Bele lag am liebsten rücklings auf dem Wasser und sah sich den türkisblauen Himmel an und die Klippen und den Badefelsen. Der war aus Beton gefertigt und terrassenförmig angelegt. Auf den Terrassen lagen bewegte Menschenleiber, vom Meer aus gewann Bele den Eindruck, als ob sie sich türmten, ein Berg bewegter Leiber, einem Schlangenhaufen vergleichbar, daraus ragten bunte Sonnenschirme. Die Küste schaukelte. Wenn Bele das Gesicht eintauchte, sah sie die Himmelsbläue konzentriert, in W. war der Himmel zwei Wochen lang grau gewesen. In den Kiefernwäldern hatte es nach Pilzen gerochen. Eine Kiefernschonung war mit Wollgras überwuchert gewesen. Früh und abends hatte Bele einen Mantel benötigt. Das Meer war nur morgens kühl. Gegen Mittag erfrischte es nicht mehr, da regte es auf, Paul sprach den ganzen Tag von nichts anderem. Entweder er redete von Physik oder von Klatt oder von Frauen. »Meine erste Freundin hatte ich mit elf«, redete er, »wir trugen Steine im Schuh, jeder suchte dem anderen einen Stein aus, der als Pfand im Schuh getragen werden mußte, ich suchte ihr einen großen aus, davon bekam sie einen vereiterten Fuß, drei Jahre später ging ich mit einem Mädchen auf den Friedhof, sie hatte auch keine Ahnung, der Schaden an der Buchsbaumhecke ist noch nicht verwachsen, und was war dein schönstes Kindheitserlebnis?«

»Meine Großmutter«, sagte Bele. »Einmal habe ich sie in ihrer Laube eingesperrt, im Hochsommer, es war vielleicht so heiß wir hier, in der teerpappegedeckten Laube war es natürlich noch heißer, meine Großmutter rumpelte und schimpfte in der Laube und kündigte immer neue Strafmaßnahmen an, die mich erwarten sollten, wenn ich sie nicht sofort rausließe. Aber ich ließ sie nicht raus, ich hüpfte vor der Tür und labte mich an der Ohnmacht eines Erwachsenen, die Welt stand eine Stunde kopf. Als zufällig mein Onkel vorbeikam, teilte ich ihm das Ereignis mit. Er hatte nichts Eiligeres zu tun, als meine Großmutter zu befreien, ich warf Steine nach ihm, kann man eine Gusle als Teufelsgeige ausgeben?«

Paul entwickelte eine erotische Theorie über optimale Vertreter der menschlichen Gattung, die Beles innere Zensur verbot aufzuschreiben, sie lebte in einem anständigen Land. Boza badete ohne Gummimütze, der Chauffeur hatte eine über seine Frisur gestülpt. Er schwamm hinüber zur hotelbebauten Halbinsel und nahm ein Sonnenbad auf dem Dach des Betonbunkers, der hundehüttenartig an die Steilküste gebaut war. Die Bungalows oberhalb des Bunkers bewohnten französische und englische Jugendliche. Das Hotel auf dem Gipfel der Halbinsel soll die Sommerresidenz von König Nikolaus gewesen sein. Eine bescheidene Residenz, das Land wäre arm, weil Gott einen Sarg voll Steine draufgeschmissen hatte, sagte Boza, sie studierte Germanistik im dritten Semester. Gegen Abend sagte Paul: »Du hättest am Institut bleiben sollen.« Bele sagte: »Ich kauf Bruno eine Gusle.« Paul klopfte seine Pfeife aus und drängte zum Aufbruch. Er aß drei Portionen

Faschiertes mit drei verschiedenen Namen. Als er gegen eins noch immer nicht müde war, erzählte ihm Bele folgende Geschichte:

Das Hotel

Ich stand unter meinem Schirm, eingemauert vom Regen. Der
erste Takt des Abends war schon gespielt. Und die Straßenbahn kam nicht.

Da verabredete ich mich mit Jan in der dunkelsten Straße
meiner Träume, vor einem Zeitungskiosk, den ich für ihn
angepflanzt hatte. Damit er sich an die letzten Neuigkeiten
lehnen konnte, wenn ich mich verspäten sollte. Ich verspätete
mich nicht, aber er sah blaß aus. Wenn es gilt, versagen meine
Träume immer. Entweder sind die Farben nicht gut oder seine
Nase ist zu gerade oder der Pullover ist zu kurz – irgend etwas
mißlingt. Ich entschuldigte mich bei Jan. Er wischte sich eine
Größenordnung Blau aus den Augen und sagte: »Wie ich bin,
gefalle ich dir wohl nicht?« – »Du hast doch keine Ahnung,
wie du bist«, sagte ich. Er steckte seine Eifersucht wieder in
die Brieftasche. Dann legte er seinen Arm um meine Schultern, und ich legte meinen Arm um seinen Rücken und
träumte eine ganze lange Straße, mit der wir eine Weile zu tun
hatten. Aber die Straßenbahn trödelte noch immer irgendwo
durch den Regen. Jan sagte: »Wollen wir nicht . . .« – »Sie
muß jeden Augenblick kommen«, sagte ich. – »Jeden, aber
nicht diesen.« Wir kehrten der Straße den Rücken, und Jan
holte ein Stück Kreide aus der Hosentasche und zeichnete ein
Hotel in die Nacht. Es war herausfordernd groß, mit vielen
Fensteraugen, die dicke Lider hatten wie ich und vorspringen-
de Brauensimse wie Jan. Und das Portal war mit Spaghetti
verhängt. Wir haßten Spaghetti. Jan signierte das Hotel, denn
es war Kunst und eigentlich ein Museum, das unter Denkmal-
schutz stand. Dann klingelten wir den Portier heraus und
baten ihn, einige von den Zimmern besichtigen zu dürfen, in
denen unsere Stunden aufbewahrt lebten, unter Glas. »Sind
Sie verheiratet?« – Jan versicherte es mit einem Zehnmark-
schein. Und der Portier sagte »Gnädiger Herr« und händigte
ihm die Schlüssel aus. Wir gingen durch das Vestibül und die
Treppen hinauf, ganz leise, um die Blumen nicht zu erschrek-

ken, die in die Teppiche gewebt waren. Die Korridore trugen numerierte Türen an uns vorbei. Wenn uns eine gefiel, sagten wir »Halt«. Jan gefiel Nummer zwölf. Wir schlossen die Tür auf. Ein Zimmer mit Musik möbliert, Barock, Louis-Seize, Dixieland. Jan sitzt in einer Vitrine, komponiert seine liebsten Notenköpfe auf einen Spieß und brät einen Schaschlik für mich, über Holzkohlenfeuer. Ich merke es nicht. »So dumm«, sagte Jan. »Schön dumm«, sagte ich. Wir verließen das Zimmer und gingen weiter durch die Korridore, vorbei an Türen, die Ungewißheit verschlossen und Streit und Mißtrauen. »Ich glaub, meine Straßenbahn kommt«, sagte ich. »Du glaubst zuviel«, sagte Jan und schloß Nummer siebenunddreißig auf. Der Raum ist nach oben geöffnet. Schnee fällt herab. Jan steht unter einem Glassturz, eingeschneit bis an die Schultern, und erzählt mir das Märchen vom gelobten Land Sommer, in dem die Mäntel abgeschafft sind und nicht nur die Mäntel. Ich stülpte meine Pelzmütze auf diese kalte Stunde. Jan drängte mich aus dem Zimmer und schlug die Tür zu. Er hatte es plötzlich eilig. Wir liefen nicht mehr über die Teppiche, wir rannten die Korridore entlang und nahmen zwei Stufen mit einem Schritt. Es war das letzte Zimmer unter dem Dach. Und es hatte zwei Schlösser statt einer Glasplatte. Das Bett ist bezogen mit dem ausgewaschenen Stadthimmel. Die Stunde ist angetan mit den Farben des Überflusses und scharfen Gewürzen. Jan und ich sind weder bezogen noch angetan. Aus unseren Mündern wachsen barock gefältelte Papierstreifen, mit Verkündigungen beschrieben. Wir lasen sie eine Weile. Bevor wir das Zimmer verließen, riß Jahn ein Stück Verkündigung ab und schenkte es mir.
Als ich mich von Jan trennte, fuhr die Straßenbahn davon. Der erste Satz des Abends war schon gespielt. Ich stand unter meinem Schirm, eingemauert vom Regen.
Mit einem Stück Verkündigung in der Tasche.

Ausflug nach Bar. Paul hatte keine Lust. Bele fragte ihn, weshalb. »Weil ich nicht gern fahre«, sagte er. »Mit dem Bus?« fragte sie. »Generell«, sagte er. »Der Herr wünschen ein Flugzeug«, sagte sie. »Zum Abschießen«, sagte er. Bele erwiderte, daß sich das Reisebüro außerstande sähe, den Touristen die Sehenswürdigkeiten in die Hotelzimmer zu tragen. Paul antwortete, er brauchte kein Reisebüro. »Aber ohne Reisebüro kann unsereiner nicht reisen«, sagte sie. »Wozu auch«, sagte er. »Soll das heißen, daß dir egal ist, ob du was siehst von der Welt oder nicht?« – »Ja«, sagte er. Bele schlug die Tür nicht hinter sich zu, sie dachte noch rechtzeitig an die zu erwartenden Folgen. Die Folgen jäher Abgänge beschäftigten sie mitunter tagelang, manchmal fielen ihr noch nach Wochen passende Antworten ein. Die besten Argumente für die Scheidung waren ihr in W. eingefallen. Sie sagte: »Spießer.« Paul sagte: »Alle großen Wissenschaftler sind Spießer.« Ihr fiel vor Wut nur Ampère ein. »Weil er seiner Frau Gedichte gemacht hat«, sagte Paul. »wenn du Gedichte willst, mußt du einen Oberschüler heiraten.« – »Noch ist Zeit«, sagte sie. Er sagte »wie« und daß Helmholtz die gesamte Naturwissenschaft seiner Zeit beherrscht hätte; aber andere, die eine weniger breite Spur hinterlassen hätten, wären von größerem Einfluß gewesen. Heute könnte man nur noch als Spezialist etwas erreichen, sagte Paul. »Und Spezialisten reisen nicht«, sagte sie. »Im Idealfall«, sagte er. Und sie sagte: »Du kannst mir doch nicht einreden, daß dir gleichgültig ist, wo du deinen Urlaub verbringst.« Und er sagte: »Ich brauche keinen Urlaub.« Darauf sie: »Dann laß dich auf den Mond schießen.« Und er: »Warum nicht, wenn auf dem Mond Physik gemacht wird.«

Im großen Speisesaal sprach Dr. Stolp über Caracas. Die wissenschaftliche Lehrerin entgegnete: »Das Wetter bleibt so, unser Sohn ist Meteorologe.« Der Herr vorgeschrittenen Alters, der Klodwig heißen könnte und Wöllner hieß, sagte:

»Vierzig Prozent der Vorhersagen sind Ausschuß, eine feine Wissenschaft.« – »Ein wunderbarer Beruf, was«, sagte die Lehrerin. »Ganz ausgezeichnet«, sagte ihr Mann, der Portier hatte Bele gebeten, ihm einen Eilbrief zuzuleiten, darauf stand »Herrn und Frau Rektor i. R. Vinzenz Wieseke«. Sie bestellte zwei Eier im Glas, Wurst und viel Weißbrot. Sie aß eine Scheibe Weißbrot. Obgleich sie nicht überrascht worden war, glänzenden Nächten mit Paul folgten stets bittere Tage. Der rechte Nebentisch, an dem das Ehepaar Wieseke, Wöllner und der Chauffeur Diepolt frühstückten, verbreitete Heimatatmosphäre. Beim Essen brach Wöllner regelmäßig der Schweiß aus, vorzugsweise auf Stirn, Nase und Oberlippe, an Nase und Oberlippe wuchsen die Perlen, bis sie abstürzten, die von der Nase abstürzenden Tropfen fielen auf den Teller oder in die Kaffeetasse, die andern wurden abgeleckt, Bele saß Wöllner gegenüber. Die Guslen, die in Konstantinopel feilgeboten wurden, waren zu klein, um eine Teufelsgeige ersetzen zu können, Bele konnte nicht mit leeren Händen heimkehren, sie mußte nach Bar fahren. Dr. Stolp schilderte den Talkessel des Rio Guaire. Bele ritzte mit dem Daumennagel einen senkrecht verlaufenden Strich neben die beiden, die Paul der Wand beigebracht hatte. Dann las die wissenschaftliche Lehrerin eine Abhandlung über das Klima Montenegros vor, die der Sohn verfaßt und im Eilbrief geschickt hatte. Darin bewies der Sohn anhand von Tabellen, daß die nördlichen Teile Ägyptens die längste Sonnenbestrahlung im ganzen Mittelmeergebiet aufwiesen, dort schiene die Sonne jährlich durchschnittlich dreitausend bis dreitausenddreihundert Stunden. In Europa hätten die südöstlichen Küsten von Spanien, Mittel- und Süddalmatien und insbesondere die Inseln sowie das montenegrinische Küstengebiet die längste Sonnenbestrahlung. Vergliche man das črnogorische Küstenland mit Nordägypten, so würde deutlich, daß die Sonnenbestrahlung an der Küste Montenegros der von Ägypten gleich und in den Wintermonaten durchschnittlich nur ein bis zwei Stunden kürzer wäre. Die Tabellen über das Klima der Französischen Riviera zeigten, daß die montenegrinische Küste im Winter die gleiche, im Frühling, Sommer und Herbst aber eine längere Sonnenbestrahlung hätte, von März bis Oktober schiene hier die Sonne durchschnittlich fünfhundert Stunden länger, »was«, sagte die wissenschaftliche Lehrerin. »Ganz ausgezeichnet«, sagt der Rektor in Ruhe. An seinem Stuhl hing ein Netz aus Proviant, Sitzkissen, Plaid und Schirm. Die meisten Mitglieder der Reisegruppe standen bereits am Bus, der vor dem Hotel parkte. Verschlossen. Die anderen schlangen hastig, die Zwillinge schlangen stehend und glichen einander nicht nur von Angesicht und Wuchs, sondern konnten den Ersatzteilcharakter der Erscheinung auch in der Bekleidung wiederholen, jetzt trugen sie karierte Shorts, die sie in Konstantinopel gekauft haben wollten. Die Shorts erregten das Interesse von Medizinalrat oder Sanitätsrat Kunsch, er bat den Reiseleiter, die Abfahrt um eine Viertelstunde zu verschieben. Konstantin entgegnete, sie lebten in einer Demokratie. Da sich die Abfahrt dennoch verzögerte, notierte die wissenschaftliche Lehrerin noch das Frühstück. In ein Tagebuch. Das gab Bele zu denken. Die Säuglingsschwester Schuch fragte Boza, ob ihre Berliner Tante mit nach Bar fahren dürfte. Boza antwortete: »Wenn nicht zu dick darf.« Fräulein Schuch holte ihre Tante aus dem kleinen Speisesaal. Als Bele zum Bus kam, saß Paul schon drin. Er wunderte sich über ihre Verwunderung und bestritt, sich gegen Besichtigungsfahrten ausgesprochen zu haben. Er hätte das Problem lediglich erörtert. Als idealisiertes Experiment. Paul und Bele spazierten vier Stunden durch die Stadt Bar. Bele sah sie nicht. Auf der nächtlichen Rückfahrt erzählte sie Paul folgende Geschichte:

Himmelbett

Im vorigen November fuhr ich jede Nacht mit meinem Bett über die Spree. Um fünf mußte ich zurück sein. Da kam die Reinigungsfrau. Von der Nachtschwester, die halb sechs Thermometer brachte, war nichts zu fürchten. Und meine Zimmerteilhaberin hatte einen guten Schlaf. Entweder sie merkte tatsächlich nichts, oder sie tat so, als ob. Und verachtete mich. Frauen, die nachts wegblieben, verachtete sie. Ich teilte meine Apfelsinen mit ihr. Sie reichte mir Photos, die sie in einer Plastiktüte aufbewahrte. In einer anderen Plastiktüte bewahrte sie Wurst und Kuchenstückchen auf, die wir für die Möwen sammelten. Die Möwen flogen mehrmals täglich unser Fenster an, sie saßen auf der Ufermauer und auf dem Brückengeländer, und sobald wir das Fenster öffneten, erhoben sie sich, umflogen es kreischend und fingen die Brocken im Fluge. Den ganzen Tag über hörte ich ihre Schreie und das Geschnatter der Wildenten. Nachts hörte ich Schnarchen. Deshalb fuhr ich jede Nacht mit meinem Bett über zwei Brücken der Spree. Unbehelligt. Nur einmal wurde ich von einem Funkstreifenwagen angehalten. Als die Turmuhr der Johanniskirche gerade zwölf schlug. Am Tage konnten wir vom Bett aus an dieser Uhr die Zeit ablesen. Frau Jepsen, mit der ich das Zimmer teilte, nahm eine Brille zu Hilfe. Wenn sie die aufsetzte, um berechnen zu können, wieviel Zeit uns von der nächsten Essenausgabe trennte, erfuhr ich, daß Norbert in der Johanniskirche getauft worden war. Norbert hieß ihr Enkel. Das neueste der in der Plastiktüte aufbewahrten Photos zeigte ihn in windelgeschwollenen Strampelhosen, auf einer Decke liegend. Da ihm wie allen Kindern der Besuch von Krankenhäusern verwehrt war, schenkte seine Großmutter mir das sonntägliche Kompott. Wir erhielten Normalverpflegung und Nierentee. Den literweise, das Essen war gesalzen wie in Restaurants, Bier dagegen nicht bestellbar. Ich hatte Appetit auf Budweiser, Gerda Jepsen auf Schorle rot, sie sagte, Bier wäre ein Männergetränk. Und von Männern wollte sie nichts wissen. Ihre Krankenpapiere, die, wie die meinigen auch, am Fußbrett des Betts aufgehängt waren, bezeichneten sie als einundvierzigjährig. Wir lasen uns täglich gegenseitig aus unseren Krankenpapieren vor, mutmaßten über die Bedeutung unentzifferbarer oder unvertrauter Wörter, beschrieben die Skalenlage der auf Millimeterpapier aufgetragenen Meßpunkte von Puls und Temperatur und den Verlauf der durch Verbindung dieser Punkte mittels Geraden entstandenen Kurven, Pulskurve rot, Fieberkurve blau, stritten über die Wertigkeit der schriftlich bestätigten Gebrechen, »ich jedenfalls hatte eine Intertrochealnarkose«, sagte Gerda Jepsen, »und ich hatte eine Zystoskopie«, sagte ich. Und die Reinigungsfrau sagte: »Unsereiner schuftet, und die Herren stecken das Geld ein.« Wenn die Herren kamen, nahm sie gewöhnlich die Bohnermaschine in Betrieb; deshalb sprachen die Herren, das heißt der Professor, der Oberarzt, die Oberärztin, der Stationsarzt, die Assistenzärzte und -ärztinnen und die Stationsschwestern bei der Visite auch so laut. Der Professor sprach mit den Patienten am liebsten über seine Studentenzeit. Als Gerda Jepsen von der Oberärztin erfuhr, daß bei der Operation nur ein Myom abgedreht worden wäre, sagte sie zum Professor: »Warum haben Sie nicht reinen Tisch gemacht, ich brauch das Zeug nicht, ich hab keinen Mann.« Und ich sagte zu ihm: »Ich möchte mal mit meinem Bett über die Spree fahren, Sie auch?« – »Wenn Sie mich mitnehmen«, sagte der Professor. Die Ärzte und die Stationsschwestern beobachteten sein Gesicht. Das lachte. Allgemeines Gelächter. Also schien der Stationsschwester nichts von meinem nächtlichen Ausflügen zugetragen worden zu sein. Sie war mit der Nachtschwester verfeindet. Ich war mit der Nachtschwester befreundet: Von meinem ersten Ausflug brachte ich ihr einen Strauß Winterastern mit, die ich den vor der Halle für Westreisende stehenden Blumenkübeln entrissen hatte. Den Strauß hielt ich unter der Bettdecke verborgen. Mein Bett fuhr: Tucholskystraße, Ziegelstraße, Friedrichstraße, Weidendammbrücke, Unter den Linden, Am Kupfergraben, Monbijoubrücke, Monbijoustraße, Ziegelstraße, Tucholskystraße bis vor die überdachte Eingangstür. Hernach die Stufen hinauf. Die Stufen hinauf war noch schwerer als hinunter. Denn mein Bett hatte außer Gummifüßen nur die üblichen Räder, auf die seine weißgestrichenen Stahlrohrbeine bei Bedarf mit Hilfe einer Hebekonstruktion gestellt werden konnten. Die betätigte ich allabendlich selbst, nachdem die Schwester das Licht gelöscht hatte. Dann wandte ich mich zum Bett meiner Nachbarin, um mich zu vergewissern, daß ihr Schlaf durch die von mir verursachten Geräusche nicht gestört worden war, sie lag auf dem Rücken und schnarchte, auf dem Rücken liegen war ihr ärztlich verordnet, ich hätte in dieser Lage auch geschnarcht, aber Gerda Jepsen hätte sich das angehört, sie würde nie nächtelang im Bett spazierenfahren, sie war verwitwet, ohne je verheiratet gewesen zu sein: eine anständige Frau. Ich machte einen Schritt zum Fenster und winkte. Die Luftsicherungslampen des Fernsehminaretts standen hell über der Stadt: neun rote Augen. Der Muezzin konnte mit seinen beiden blauen nicht alles beobachten, zumal er neben seiner Amtstätigkeit außerdem mit der Arbeitsüberwachung des noch im Bau befindlichen Turms belastet war. Der Turm hatte letzten Presseberichten zufolge eine Höhe von zweihundertsiebenundzwanzig Metern. Die endgültige Höhe war auf dreihundertsechzig Meter geplant. Seine Fundamente waren etwa einen Kilometer Luftlinie von meinem Fenster entfernt gelegt worden. Ich winkte also. Robert Muezzin, dessen blauen und roten Augen nichts entging, betrat die von Schutznetzen umspannte Bautribüne, die vorläufig als Galerie diente, stellte das Magnettongerät an und legte, wie ich deutlich erkennen konnte, seine Hände trichterförmig um den Mund. Das Gerät spielte vom unendlichen Kundendienstband: »Sie wünschen Sie wünschen Sie wünschen.« Ich unterbreitete meine Wünsche. Flüsternd, Gerda Jepsen schnarchte noch leise. Robert Muezzin – ich nannte ihn Robert, weil ich ihn mir mit einem roten Bart vorstellte –, der Stadtgeist Robert Muezzin war, wie mir seine Gesellen versicherten, mit den empfindlichsten Abhörgeräten japanischer Bauart ausgerüstet. Durch die empfing er über UKW meine detaillierten Angaben. Und binnen dreier Sekunden stand einer von seinen Gesellen zu meiner Verfügung. Er war sicher ebenfalls rotbärtig, kühl, ziemlich alt, sein gelber Kopf, rund bis sichelförmig, war dunkel gefleckt, eigentlich bestand er nur aus Kopf: ein Denker. Er dachte einen Augenblick nach. Dann wies er mich an, die Steppdecke abzuziehen und die Zipfel des Bezugs an den das Fußbrett rahmenden Stahlrohrbügel zu knüpfen. Gesagt, getan. Kaum hatte ich mir die inlettentblößte Decke über die Brust gezogen, da fing sich auch schon der Wind im Bezug. Und blähte ihn, und blies ihn auf wie einen gelandeten Fallschirm, und blies und blies, das ging durch Fenster, Mark und Bein. Und hast du nicht gesehen war mein Bett zum Fenster hinaus und rollte durch die Korridore über Treppen am Pförtner vorbei geradewegs auf die Straße hinaus. Der Pförtner schrie hinter mir her, vergebens, ich fuhr vielleicht siebzig, so ein Wind war das. Die Treppen runter fuhr ich sicher sechzig bis siebzig, rauf vielleicht dreißig, das genügte auch, der Nachtpförtner war kurzsichtig. Gerda Jepsen war nachtblind. Außerdem war sie ein argloser Mensch und traute im allgemeinen niemandem etwas zu, dessen sie nicht selbst fähig gewesen wäre. Und sie wäre sicher nie auch nur auf den Gedanken gekommen, nachts mit ihrem Bett durch die Innenstadt zu fahren, Winterastern zu stehlen und die Straßenverkehrsordnung zu mißachten. Deshalb hatte mich nämlich auf der Weidendammbrücke zu mitternächtlicher Stunde dieser grüne Funkstreifenwagen vom Typ Wartburg, altes Modell, gestoppt. Die Polizisten hatten mich nach meiner Fahrerlaubnis gefragt, ich hatte ihnen die am Fußbrett hängenden Papiere gereicht, sie hatten neben die Eintragung Hb 11,17 wegen Linksfahrens einen Stempel gesetzt, fünf Mark eingesteckt und die rechten Hände an die Mützenschilder gelegt. Obgleich sie sich meinen Namen und einige Kurvenwerte notiert hatten, meldeten sie entweder den Vorfall bis heute nicht, oder die Akten sind auf dem Amtsweg verlorengegangen. Als der grüne Wartburg weg war, fuhr ich wieder hinüber auf die linke Straßenseite, sogar auf den Fußweg der linken Straßenseite, bis das Bettkopfbrett den schmiedeeisernen Adler berührte, der dem Brückengeländer eingearbeitet war. Dann beugte ich mich über das Kopfbrett und über den Adler und sah hinunter. In die glatte Haut der Spree kerbten Enten V-förmige Kiel-

wasserrinnen. Die Möwen bestanden einbeinig kopflos Ufer-
mauern und Dalben. An den Dalben hatten zwei mit Briketts
beladene Lastkähne festgemacht, nachts durfte den Angaben
Gerda Jepsens zufolge kein Schiff die Grenze passieren. Tags
überwachte Gerda Jepsen den Schiffsverkehr auf der Spree
vom Bett aus. Sie zeigte mir Fahrtrichtung, Schiffstyp, wenn
möglich den Namen des Schiffs, des Besitzers und des Heimat-
hafens sowie die Ladung an: flußauf Zille, Selbstfahrer, Anna,
frisch gestrichen, Martin Hansen und Sohn, Bremen, Kies;
flußab Schlepper ohne Anhang, Karl Marx, Wismar; flußab
Motorboot, Wasserschutz, zwei Polizisten, einer mit Fernglas;
flußauf zwanziger Jollenkreuzer mit liegendem Mast, Heck-
motor, zwei junge Burschen, was haben denn die nach dem
Absegeln noch auf dem Wasser zu suchen; flußauf Tanker,
Burmeester, Hamburg; flußab Schubverband über siebzig Meter, verdreckt, Albert Kowalczik, Berlin, Pflastersteine; flußauf Luxusfahrgastschiff »Heinrich Mann«, Deutsche Binnen-
reederei, Betriebsausflug. Den schilderte mir Gerda Jepsen
genauer, sie war bei der Weißen Flotte als Dispatcherin angestellt und vermittelte unter anderem Luxusfahrgastschiffe für
Betriebsausflüge. Die erforderlichen Kulturprogramme handelte sie mit der Konzert- und Gastspieldirektion aus, die
Speiseprogramme mit der Mitropa, die »Heinrich Mann«
hatte eine Blaskapelle geladen, was auf den Tellern lag, war
nicht zu erkennen. Ich konnte jedenfalls nichts erkennen,
meine Augendeckel waren schwer, tagsüber war ich müde.
Weil ich nachts nicht schlafen konnte. Nachts hörte ich auf das
Knarren der Taue, mit denen die Lastkähne festgemacht
hatten, Saugen und Schmatzen der schaukelnden Schiffskör-
per, Anschlagen, ich hörte das Rauschen und den Schienen-
stoß der Stadtbahnzüge, bisweilen das Dröhnen der Unter-
grundbahn, wenn ich über Entlüftungsroste fuhr, oder den
explosionsartigen Knall, Machscher Kegel, denkt man bei
solcher Gelegenheit schnell, um nichts anderes zu denken, die
Radzapfen meines Betts waren geölt, auch Gerda Jepsen war
weit, nur eine Ahnung von Schnarchen erreichte mein Ohr;
und das Fauchen des Windes, nachts machten die Gesellen
von Robert Muezzin für mich Wind. Sie ähnelten einander

aufs Haar, das vom Bart schimmerte rötlich, anderswo hatten sie keins, wie der Meister bestanden sie nur aus Kopf, der war ockergelb, rund bis sichelförmig, klein, geradezu winzig, mit einem Wort: unsichtbar. Aber der Wind. Sie erzeugten ihn mit Hilfe von Magnettonbändern. Ich verschwieg das Gerda Jepsen. Ich veriet ihr lediglich, daß ich jede Nacht an Kinetose litte. Das machte die Dampfheizungsluft, sagte Gerda Jepsen, sie träume auch manchmal schlecht. Von Bratkartoffeln. Von Schlangen. Vom Krieg. Meist vom Krieg. Sie öffnete die Plastiktüte, holte wieder das abgegriffene Photo heraus, reichte es mir und erzählte von Fritz. Ihre Mutter hätte gesagt: So oder so, Schiffsführer würden immer gebraucht. Fritz war Schiffsführer bei der Weißen Flotte gewesen, dann Artillerie-soldat, zuletzt Obergefreiter, »erkennen Sie am Winkel«, sagte Gerda Jepsen, »wenn Sie genau hinsehen, erkennen Sie den doppelten Winkel am Ärmel, wir haben zusammen Mur-meln geschoben, er hat immer verloren, meine Mutter sagte, ich weiß gar nicht, was du willst, ich wollte nicht, den nicht und überhaupt noch nicht und wenn, dann nach dem Krieg. Also gut: nach dem Krieg. Anfang 44 hat er Urlaub. Wie Männer so sind. Und prompt. Briefe hin und her. Er beantragt Sonderur-laub. Ich kaufe ein Brautkleid. Wir lassen uns aufbieten. Urlaubssperre. Die Todesnachricht hat mir der Briefträger gebracht, als ich im fünften Monat war. Und nun die Schere-reien.« Gerda Jepsen schilderte mir die Scherereien in vielen Einzelheiten, ich konnte nur schwer folgen, ich sprach darüber mit verschiedenen Gesellen von Robert Muezzin, ich nehme an, es waren verschiedene, andernfalls hätte ich mich ständig wiederholt, egal, die Gesellen wiederholten sich ja auch stän-dig. Sie zwängten sich jedesmal durch die Fensterscheiben, nicht durch die Wände, durch die Fensterscheiben, so schnell, daß die nicht zerbrachen, aber ich hörte jedesmal Klirren, was die Nachtschwester nicht hören wollte, hörte sie nicht: Sie war eine schöne Frau. Aber ich stand doch Abend für Abend Angst aus. Die Gesellen nahmen auf der Bettdecke Platz, gewöhnlich in der Nähe meines Nabels, und setzten die Spulen in Gang. Mit einer Grimasse, ich glaubte zuerst, sie wollten mir eine Nase drehen. Die Polyesterspulen, pro Geselle eine rote und eine gelbe, liefen im Gegensatz zu denen des Meisters auf Metalldornen, die aus dem Scheitel ragten, Tonabnehmer und Lautsprecher, nicht zu erkennen, waren vermutlich im Schädel untergebracht, auf den Magnettonbändern, im Prinzip dem unendlichen Kundendienstband des Meisters vergleichbar, waren die Lieder konserviert, die in komplizierter Weise den Wind erzeugten, der zur Fortbewegung meines Bettes erforderlich war. Kräftiger Wind also, etwa Stärke acht bis neun der Beaufort-Skala, ich mußte die Bettdecke mit den Armen beschweren, damit sie nicht wegflog. Meine Arme waren nackt, ich trug ein ärmelloses Nachthemd aus Kräuselkrepp, aber ich fror nicht. Deshalb glaubte ich mich manchmal im Traum. Gerda Jepsen träumte ja auch, wie sie mir versicherte. Aber sie träumte von Bratkartoffeln, Schlangen, vom Krieg. Ich dagegen träumte gut. Kann man in Dampfheizungsluft gut träumen? Die Reinigungsfrau sagte beim Frühstück austeilen, sie könne in Dampfheizungsluft nicht einmal schlafen, seit sie in einer Neubauwohnung hause, könne sie überhaupt nicht mehr schlafen, »wollen Sie eine Tasse Milch, diese Station hat nicht mal genug Tassen, ich trinke jeden Tag einen halben Liter Milch, aber denken Sie, ich nehme zu? Einundsiebzig Pfund wiege ich, ich wiege mich jede Woche auf der Waage, die im Untersuchungszimmer steht, immer einundsiebzig Pfund, so was gibt's doch gar nicht, wochenlang genau einundsiebzig Pfund, nicht mal eine Waage funktioniert hier.« Gerda Jepsen schenkte ihr zwei Zigaretten. Sie hatte viele Zigarettenpäckchen, Pralinenschachteln und Gebäcktüten im Nachttisch liegen. Auf dem Nachttisch stand ein Glas mit Blumen, überall im Zimmer standen Flaschen und Vasen mit Blumen, auf dem Schrank, auf dem Stuhl, auf der Fensterbank, aber die schönsten, drei weiße Chrysanthemen, standen im Uringlas auf dem Nachttisch, und am Glas lehnte das Photo, das den Enkel Norbert in windelgeschwollenen Strampelhosen zeigte, auf einer Decke liegend. Die Decke war aus Nylon gefertigt, wie Gerda Jepsen versicherte, Nylon hörte ich oft. Beispielsweise hätte ihre Tochter vor achtzehn Monaten zum Geburtstag ein Nylonnegligé geschickt bekommen, sie hätte es als Hochzeitsnachthemd angezogen und prompt. Mein

Morgenrock war aus Malimo gefertigt. Ich zog ihn an, wenn ich Besuch erwartete. Jeden Mittwoch und Sonntag kämmten und schminkten wir uns für den Besuch und legten uns mit den Morgenröcken ins Bett. Und wenn der Besuch raus war, ließ Gerda Jepsen das Fenster aufmachen und holte sich Rheuma. Ein Krankenhaus wäre, wie der Name schon sagte, ein Haus, in dem man krank würde, behauptete sie. Jedes Krankenhaus hätte seine Spezialitäten, in diesem bekäme man Rheuma, heute wie vor einundzwanzig Jahren, da hätte sie hier entbunden, nicht direkt hier, in einem Bunker, die Kreißsäle wären damals alle in Bunker evakuiert gewesen, aber der Bunker hätte zu dieser Klinik gehört. Die Wochenstation jedoch wäre nicht evakuiert gewesen, in der ersten Nacht hätte es wieder Alarm gegeben, da hätten alle, die normal entbunden hätten, in den Luftschutzkeller laufen müssen. Sie hätte normal entbunden, trotz der vielen Scherereien, die ihr die Standesbeamten und andere Leute gemacht hätten, mit ihren Schwiegereltern hätte sie sich am schnellsten geeinigt. Sie gab sich große Mühe, um mir die Vorgänge verständlich zu machen, sprach unter Hinzufügung neuer überraschender Details von Rechtslagen und Gesetzesparagraphen, die Gesellen, denen ich dummerweise von diesen fremdartigen Vorgängen erzählt hatte, spielten das Lied von den Dingen, alle, vielleicht machte auch nur einer für mich Wind, immer derselbe, immer mit demselben rezitativischen Lied, kurz und gut, die Frau wollte für ihr Kind einen anständigen Namen. Und den wollten ihr das Standesamt und andere Behörden vorenthalten, indem sie sich einer Trauung von Gerda geb. Medon mit Fritz Jepsen widersetzten. Einer Nachtrauung, denn Fritz Jepsen war im August 44 gefallen. Aber es gab zu viele Gefallene, die man heiraten wollte, die Beamten mußten streng sein. Sie verlangten Beweise. Gerda Medon brachte Zeugen, deren Aussagen erkannten die Beamten nicht als Beweise seiner Heiratsabsichten an, sie legte Briefe vor, die erkannten die Beamten nicht als stichhaltige Beweise an, sie verlangten intimere Briefe, Gerdas Medon legte intimere Briefe vor, zuletzt die intimsten, da hatte sie schon ihr Kind, das Vera Medon hieß, aber sie nannte es Jepsen, sie sagte: »Einmal und nicht wieder.« Zum

Abschied schenkte ich ihr meinen Morgenrock. Obgleich nicht ausgeschlossen war, daß sie mich verachtete. Fest stand jedenfalls, sie würde mich verachten, wenn sie erführe, daß ich mich während der dreieinhalb Wochen, die wir gemeinsam verbrachten, zwischen zehn und fünf mit meinem Bett auf Straßen herumgetrieben hatte. Im Nachthemd. Ohne an Arbeit zu denken. Sie hatte eine Cousine, die arbeitete im Nachthemd, das leuchtete ihr notfalls ein, ohne daß sie dergleichen zu billigen bereit war, aber nur so herumtreiben? Ich lag am liebsten auf dem Rücken, wenn man nicht schläft, kann man sich das leisten, ich fuhr bestimmt sechzig oder siebzig, mir schien, die Sterne führen mit, rechts blieb das Hotel Sofia zurück und der Friedrichstadt-Palast und das Berliner Ensemble und die erleuchtete Glashalle für Westreisende, wo ich die Winterastern gestohlen hatte, links das Haus der Polnischen und der Tschechoslowakischen Kultur und das Pressecafé, aber die Sterne und der Mond fuhren mit. Die Wolken nicht. Immer waren Wolken über der Stadt, manchmal war der ganze Himmel bedeckt, manchmal sah er aber auch nur so aus, weil die Himmelsfarbe abgeblättert war. Das kam vom Wind. Die Gesellen machten gezielten Wind, indem sie, während die Tonbänder auf ihren Köpfen liefen, ihre virtuellen Hände, dem Vorbild des Meisters folgend, trichterförmig um den Mund legten. Auf diese Weise laserartig gebündelt, gewannen die rezitativischen Lieder, insbesondere ihre Refrains, die Kraft, ein segelgerüstetes Bett mit Geschwindigkeiten bis zu siebzig Stundenkilometern durch die Straßen zu treiben. Eigentlich durfte man auf diesen Straßen nur sechzig fahren, der Sohn der Reinigungsfrau hatte wegen Geschwindigkeitsüberschreitung in der Friedrichstraße einen Stempel bekommen, »mein Sohn ist Ingenieur«, sagte sie zu mir, als ich anstand, die urologische Station hatte nur eine Toilette, »mein Sohn ist Diplomingenieur, mit der aus Zimmer fünf haben sie alles mögliche angestellt, Bluttropf, Traubenzuckertropf, Spritzen, wenn die Herren nicht wissen, was sich gehört, ich grüße sie nicht, heute früh ist sie geext, neunundsechzig Jahre, so alt werde ich nicht, hier nicht«. Ich erzählte Gerda Jepsen von dem Todesfall, sie erzählte mir, daß der Bruder ihres Mannes auch im Krankenhaus gestorben sei, an einer Magenoperation, Fritz dagegen sei nie krank gewesen, als Kind nicht und auch später nicht, er hätte eine robuste Natur gehabt, seine Briefe wären auch so gewesen, deshalb hätten ihr die Behörden solche Schererereien gemacht. Erst im Februar 45 hätte sie heiraten können, am 18. Februar 45, sie hatte sich das Brautkleid schwarz färben lassen, auf dem Stuhl links neben ihr lagen gekreuzte Säbel und ein Stahlhelm, der Harmoniumspieler, den sie bestellt hatte, war zum Volkssturm eingezogen worden. Sie öffnete die Plastiktüte und zeigte mir ein Bild vom Harmoniumspieler, ich erkannte darauf den schnurrbärtigen Greis, der Gerda Jepsen besucht hatte. Einmal, er war nicht mit ihr verwandt, da reichte einmal, sonst sah Gerda Jepsen auf Ordnung, sonntags und mittwochs während der Besuchszeiten war ihr Bett umlagert. Danach klagte sie über schlechte Luft, über die Blumensträuße, für die sie Gefäße besorgen, und über die vielen Zigarettenpäckchen, Pralinenschachteln und Gebäcktüten, für die sie Platz schaffen mußte, aber wie, rauchen durfte sie nicht, Pralinen störten die Verdauung, Gebäck ruinierte die Figur. Luft konnte sie haben. Ich öffnete beide Fensterflügel, sie wartete auf Rheuma. Der Besuch gehörte neben den Mahlzeiten und der Visite des Professors zu den Erlebnishöhepunkten. Außer diesen täglichen Höhepunkten, die jeder normale Patient mehr oder weniger hat, gab es die nächtlichen, die wahrscheinlich nur ich hatte. Unter Hunderten von Patienten der Klinik, unter Tausenden der Städtischen Krankenhäuser nur ich, ich habe jedenfalls im November vorigen Jahres in der Zeit von zehn bis fünf nie ein fahrendes Bett getroffen. Auf der Strecke Tucholskystraße, Ziegelstraße, Friedrichstraße, Weidendammbrücke, Unter den Linden, Am Kupfergraben, Monbijoubrücke, Monbijoustraße, Ziegelstraße, Tucholskystraße jedenfalls nicht, andere Strecken bin ich nicht gefahren. Am liebsten fuhr ich am Kupfergraben entlang, links Museum für Deutsche Geschichte, rechts jenseits des Wassers Bäume in Reih und Glied: der Lustgarten, die Gesellen wollten mich immer durch den Lustgarten fahren, aber ich wollte nicht, ich wollte am liebsten mit meinem Bett aufs Wasser, Spree, Oder-Spree-Kanal, Oder,

Ostsee, Kattegat, Skagerrak, Nordsee, Atlantik, wenn man wochenlang im Bett liegen muß, will man auch mal raus, das verstanden die Gesellen nicht, aber das Wasser sehen ist auch schon ganz schön, rechts Museen, links Kasernen und in der Mitte das Wasser, das viel langsamer war als ich, die Magnettongeräte auf und in den Köpfen der Gesellen spielten nämlich das Lied von den Dingen, die sich gestalten und immer mehr an Bedeutung gewinnen und schließlich die Rolle spielen. Sie sangen das Blaue vom Himmel. Indem sie den Sprechgesang mit Hilfe der Hände, die trichterförmig um den Mund gelegt waren, laserartig bündelten. So konzentrierten sie seine Kraft, man vernahm keine Worte mehr, nur noch Fauchen, aber die Gesellen wurden in die Lage versetzt, ihn gezielt einzusetzen. Sie zielten auf mein aus dem Deckenbezug gefertigtes Segel, mal rechts, mal links, je nachdem, welche Richtung ich wünschte, im allgemeinen ging alles nach Wunsch, ich überholte das Wasser, nur daß beim Abspielen der Lieder, vermutlich durch die Sinusschwingungen verursacht – die Lautstärke der Lieder betrug etwa hundertzehn Phon –, die Himmelsfarbe abblätterte und der Grund durchkam. Und auf grauem Grund waren die Sterne, die mitfuhren, schwer zu erkennen, die kleinen Sterne, die großen Sterne und der Mond.

Allabendlich fand auf der Strandstraße der Corso statt. Die einheimische Bevölkerung repräsentierten Männer. Sie spazierten in Reihen oder saßen auf der Mauer. Die Zementmauer, die den Stadtstrand von der Straße trennte, hatte ein bankförmiges Profil. Vor dem Defilee an der etwa einen halben Kilometer langen Bank vernebelte ein motorisierter Mückenjäger die Straße. Die Stinknebelkanone war ebenfalls motorisiert. Der Meereswind trieb die Schwaden in die Berge, bald roch die Straße wieder nach Tabak, Schweiß, Parfüm, kaltgepreßtem Sonnenblumenöl und Knoblauch, und die Sänger hatten Luft. Sie saßen ebenfalls auf der Zementbank oder spazierten in Reihen und hielten sich gegenseitig. Sie sangen halbgeschlossenen Augs. Die Verringerung des Blickwinkels schien das Bild, das bei der Besichtigung der promenierenden weiblichen Personen gewonnen wurde, indessen nicht zu beeinträchtigen, gelegentlichen Ausrufen konnte man das Gegenteil entnehmen, die promenierenden weiblichen Personen waren Touristen. Überwiegend ausländische. Ortsansässige weibliche Personen verschwanden bei Anbruch der Dunkelheit von der Straße, sofern sie sich nicht im Kindesalter befanden. Manche Sänger und andere Betrachter hoben bisweilen jäh eine Braue, da entfielen dem darunterliegenden Auge Funken, das übrige Gesicht blieb unbewegt, diese erstaunliche Fähigkeit war offenbar nationalcharakterlich bedingt, Paul konnte trotz Trainings den Monokeleffekt nicht erzielen. Die meisten Touristinnen nahmen die Funken in Begleitung von Ehemännern beziehungsweise Liebhabern entgegen. Einheimische Liebhaber hielten ihre Saisondamen abends auf dem Corso am Arm, tagsüber auf den Klippen im Arm, einheimische Liebespaare corsierten, wenn überhaupt, indem sie Sicherheitsabstände von einem Meter und mehr beachteten. Vermutlich um die jungen Männer Konstantinopels zu entlasten, hatte die ortsansässige Filiale des hiesigen Reisebüros, wer sonst, einige Matrosen angefahren. Oder eingeflogen. Bele hatte jedenfalls noch kein Schiff anlegen sehen. Im Hafen lagen nur Fischerboote. Zur Eröffnung der Promenade schleppten Fischer schwere Ruder zum Hafen. Dabei zeigten sie vom Gürtel aufwärts Haut, die sie tagsüber am Stadtstrand bräunten. Deutsche Touristen männlichen Geschlechts zeigten Haut von den Oberschenkeln abwärts. Paul zeigte nur den Rist, Einstein soll ungern Socken getragen haben. Gegen neunzehn Uhr bestiegen zehn bis zwölf Fischer ein kleines Boot und ruderten stehend, dicht gedrängt, die Boote hingen bis über die Rammbordleiste im Wasser, wenn die Athleten Fische gefangen und geladen hätten, wären die Boote gesunken. Vor dem Haus, in dem Gemälde ausgestellt waren, beschimpfte eine Fischersfrau Paul, weil er Beles Tasche und eine Hand von ihr trug. Die Albanerin trug Pluderhosen und Gesichtstuch, Moslemfrauen liefen mit Abstand hinter ihren Männern, der deutschsprechende Ausstellungsführer sagte, in Konstantinopel gäbe es Vielweiberei nur noch aus sozialen Gründen. Das Ausstellungshaus überragte die selbstgefertigten Häuser der Fischer und Handwerker weniger an Größe als an Schnitt, es war von neuestem kubischem Schnitt, hatte perforierte Wände, chromgefaßte Fenster und ein Glasportal. Zu beiden Seiten des Portals standen geranienbepflanzte Marmeladeneimer. Hinter den Gittern aller Balkons und Hausterrassen standen erdgefüllte und mit Blumen bepflanzte Marmeladeneimer, Konservenbüchsen und andere Gefäße gereiht. Die Ausstellung zeigte realistische und abstrakte Bilder montenegrinischer Künstler. Der deutschsprechende Ausstellungsführer erwähnte beiläufig, daß er als einziges männliches Mitglied seiner Familie den Krieg überlebt hätte, sein Vater und die vier Brüder wären als Partisanen gefallen, die Ausstellung hätte er organisiert. Bele sah ihn auf dem Corso wieder. Paul hielt ihn für einen Lehrer. Er fand einen Tisch mit zwei Stühlen unter der Pinie. Bele bestellte Sekt. Paul schlug nach Mücken und traf ein gefülltes Glas. Er schob die Scherben mit den Schuhen unter den Tisch und sagte: »Klatt ist ein fleißiger Physiker, aber nicht brillant, er soll die Forschungsergebnisse des Instituts vortragen, die Tagung in Budapest ist international besetzt, Prestigefrage.«

Beles Rock klebte auf den Oberschenkeln. Eine Glühbirne, die am Stamm der Pinie befestigt war, lockte Insekten an. Schwärme von Mücken und Nachtfaltern sammelten sich unter dem Schirm des Baumes. Bele erkundigte sich bei der Tante der Krankenschwester Schuch, die am Nebentisch Platz genommen hatte, ob sie Zikaden hörte. Die Frau bestätigte, daß keine Zikaden zu hören waren. Die Steinbrüstung kühlte Beles Unterarme. Sie konnte die erleuchtete Straße überblikken. Das Meer war nur zu hören. Der Eindruck erinnerte Bele an eine Schüleraufführung von »Bastien und Bastienne«, in der Lehrer gesungen hatten und Bele eine Weile, als Statue verkleidet, nahe der Rampe aufgestellt worden war: Sie hatte nur das erleuchtete Orchester gesehen, den Zuschauerraum hatte die Dunkelheit gefressen. Im Orchesterraum sah Bele den feztragenden Schuster, die schulterlangen Frisuren der Freunde des Limonadenverkäufers, die Dr. Stolp ablehnte, den Gemischtwarenbau, eine Zigeunerfamilie, montenegrinische Veteranen mit weißen Knebelbärten und Trachtenkappen, den jungen Kellner vom Fischrestaurant, der eine elegante Vierzigerin aus dem kleinen Speisesaal führte, und den schwarzhäutigen Photographen. Boza hatte gesagt, in unmittelbarer Umgebung der Stadt wäre ein Negerdorf zu besichtigen, in dem Nachkommen der Sklaven wohnten, mit denen die Seeräuber Konstantinopels gehandelt hätten. Paul wollte das Dorf nicht besichtigen. Voriges Jahr war er in Budapest, Hamburg, Berkeley, Chikago, Dubrovnik, Dubna und Genf gewesen. In Genf hatte er ein halbes Jahr gearbeitet. In diesem Jahr war er in New Delhi, Aachen, Jülich und natürlich wieder mehrmals in Dubna gewesen. In Dubna fühlte er sich zu Hause. Die Hochzeitsreise war seine erste Privatreise. Er bestellte noch eine Flasche Sekt. Als sie ausgetrunken war, sagte er: »Du hättest doch am Institut bleiben sollen.« Das war gegen acht. Der Corso war beendet. Bele entgegnete, daß sie für Domestikenarbeit nicht geeignet wäre. Er sagte »wie«, wenn er etwas verstanden hatte, das ihm mißfiel, sagte er »wie«. Dann verglich er den Beruf einer Laborantin mit dem Schaffnerberuf und sprach dem ersteren größeren Intelligenzverschleiß zu. Bele erwiderte, daß Schaffner für sie kein Beruf wäre, sondern eine Gelegenheit, Geld zu verdienen und Leute kennenzulernen. »Menschen mit großem Erlebnisverschleiß sind auf der Flucht«, sagte Paul, »außerdem werden Schaffner bald ganz überflüssig, und was machst du dann?« – »Dann eröffne ich einen Zirkus und zeige täglich in drei Vorstellungen den optimalen Mann des sozialistischen Lagers, der Kartenverkauf hat bereits begonnen.« – Die Tante der Krankenschwester Schuch verabschiedete sich. Beles Rock war trocken. Zikaden waren nicht zu hören. Kein Meeresrauschen. Aber zwei Sternschnuppen. Als Paul gezahlt hatte, erzählte ihm Bele folgende Geschichte:

Die Wanne

Meine Mutter hatte von ihrer Tante eine Wanne geerbt. Das Erbstück wurde in der Bodenkammer aufbewahrt. Alle acht Wochen etwa schleppten es meine Eltern vom Spitzboden in die Waschküche, die sich im Kellergeschoß befand. Die Badewanne wurde nur zum Waschen benutzt. Gebadet wurde in einer eisernen Wanne, die nicht halb so schön klang. Außerdem war sie weiß emailliert wie unser Kartoffeltopf, kalt und konnte nicht kippen. Dieses langweilige Gefäß bewahrten meine Eltern im Badezimmer auf. Frau Schidorski, dritter Stock rechts, bewahrte im Badezimmer eine Kiste Sand zur Brandbekämpfung auf. Ihr Nachbar erbat sich von den Malern, die den Boden spritzten, für eine Schachtel Zigaretten eine Büchse Brandschutzanstrich. Damit strich er die Fensterrahmen und Türen seiner Wohnung. Meine Eltern kauften vorgedruckte Listen, in die sie alle unsere Besitztümer unter Aufführung des Anschaffungspreises eintrugen. Da meine Großeltern mütterlicherseits ungern etwas wegwarfen, waren meine Eltern in der glücklichen Lage, die Mitgiftrechnungen sämtlich beizubringen. Küche und Schlafzimmer gehörten zur Mitgift meiner Mutter. Mein Vater hatte das Wohnzimmer in die Ehe gebracht, aber die Rechnung nicht aufgehoben. An den Preis konnte er sich zwar genau erinnern, doch die Zeugin des Kaufs, der elf Jahre zurücklag, war inzwischen verstorben, meine Eltern fürchteten, daß ihnen für das Wohnzimmer kaukasisch Nußbaum hochglanzpoliert bei etwaigem Verlust keine Entschädigung gezahlt würde. Die Zahlung der Entschädigung war laut Präambel der Liste nach dem Sieg fällig. Mit dem Anlegen der Liste, die meine Mutter bei Alarm in einem Brustbeutel trug, waren meine Eltern mehrere Wochen beschäftigt. In dieser Zeit beschrifteten sie außerdem alle Möbel, Radio, Photoapparat und andere Gegentände von Wert mit der Nummer 5 391 987. Auch die Zinkbadewanne versahen sie mit dieser Nummer. Die Zahlen, mit roter Ölfarbe aufgetragen, verdeckten zwei Kreisel. Die eisblumenartige

Musterung des Zinkblechs zeigte bis dahin sieben Kreisel und eine Gulaschkanone. Auf der Zinkwanne meiner Großmutter konnte man nur einen Schirm erkennen und auch nur dann, wenn man viel Phantasie aufbrachte. Von diesem Mangel abgesehen, hatte die Wanne die gleichen Vorzüge wie unser Erbstück. Mein Großvater behauptete, die Großmutter wäre mal beim Baden samt der Wanne umgestürzt. Ich badete nur bei der Großmutter gern. Ich hielt mich überhaupt gern bei meinen Großeltern auf, weil die mich nachts nicht aus dem Bett holten. Sie wohnten neben einer Fabrik, in der Häftlinge Flugzeugteile herstellten. Ein Freund meines Großvaters, der in der Fabrik als Dolmetscher für Russisch angestellt war, behauptete, die Flugzeugteile wären geheim, und bei Alarm im Bett zu bleiben, wäre sträflicher Leichtsinn. Der Hausbesitzer wies meinen Großvater mehrfach auf die Sträflichkeit seines Verhaltens hin und unterrichtete den Blockwart sowie meine Eltern. Die hatten im Gegensatz zu meinen Großeltern den Inhalt der Schränke größtenteils in Kisten verpackt in den Keller getragen. Auch die Zinkbadewanne war in den Keller verlagert. Dort sah ich sie relativ oft, manchmal jede Nacht, denn ich durfte meine Großeltern nur noch selten besuchen. Sie wohnten zwei Bahnstationen weit in einer Kleinstadt. Wir wohnten in einer Großstadt, deren Bombenschäden bereits mehrfach im Rundfunk erwähnt worden waren. Das gab mir meinen Großeltern gegenüber ein Gefühl der Überlegenheit. Als das Haus, in dem meine Freundin wohnte, von einer Sprengbombe getroffen zu Schutt fiel, beneidete ich sie fast. Meine Eltern beneideten Pätzolds, erster Stock links, um ihren Sohn. Der Sohn spielte Geige. Ich sollte mir zum Geburtstag eine Geige wünschen. Auf der Badewanne durfte ich auch im Keller nicht spielen. Weil die gongartigen Töne, die ein Schlag auf das Zinkblech erzeugte, das Brummen übertönten. Die Hausbewohner wollten das Brummen hören. Manche hielten sich zu diesem Zweck während des Alarms zeitweilig vor der Hoftür auf. Ich durfte nie vor die Hoftür. Ich mußte untätig hinter der Wanne sitzen. Die Wanne hatte mir meine Mutter als Splitterschutz zugeteilt. Außerdem stand mir ein eiserner Kochtopf zur Verfügung. Den mußte ich aufsetzen, wenn es

sehr brummte. Dann tauchte meine Mutter auch den Mund-
schutz in Feuerlöschwasser und hängte ihn an mein rechtes
Ohr. Die Zöpfe waren Anfang 44 bereits abgeschnitten, da sie
nicht unter die Gasmaske paßten. Mein Onkel Walter erzählte, daß die Soldaten beim Exerzieren unter Gasmasken singen
müßten. Manchmal setzte ich die Gasmaske schon auf, bevor
es krachte, und sang mit dem Sohn von Pätzolds »O du
schöhöhöner Wehehesterwald« und andere Lieder. Nach dem
Angriff auf Dresden sagte mein Vater zu meiner Mutter: Laß
sie. Aber da war die Akustik im Keller wegen der Federbetten
bereits so schlecht, daß die Wanne nicht viel besser als der
Zinkeimer klang, in dem unser Kaffeeservice verpackt war.
Ich schlug vornehmlich mit dem Gasmaskenfilter aufs Zinkblech, Blech auf Blech klang am lautesten. Die Hausbewohner
waren machtlos. Ich hatte die Erlaubnis von meinem Vater,
der inzwischen bei den feldgrauen Eisenbahnern war, Herr
Schidorski war auch bei den feldgrauen Eisenbahnern und
hatte noch vor einem Jahr aus Rumänien Oliven- und Sonnenblumenöl in Kanistern geschickt. Baden mußte ich indessen
nach wie vor in dem am Boden angeschraubten emaillierten
Eisengefäß, in dem die Füße tiefer lagen als der Hintern. In
der Zinkwanne lagen die Füße höher. Ihre Wände waren
flach, wenn man sich darin bewegte, schwamm die Küche. Bei
meiner Großmutter wurde in der Küche gebadet. Bis Ende 44.
Dann waren Flüchtlinge aus Oberschlesien in der Küche ein-
quartiert. Meine Großmutter versteckte die Zinkbadewanne
vor ihnen im Holzschuppen, lieh ihnen einen Holzzuber zum
Baden und badete selbst in einer Sitzwanne. Da meine Großmutter damals noch dick war, mußte sie sich an einem Stück
Wäscheleine, das an einem Fensterwirbel befestigt war, aus
der Wanne herausziehen. Später, als ihr Gewicht sich um ein
Drittel verringert hatte, war sie nicht mehr auf solche Hilfsmit-
tel angewiesen. Da pflegte sie, wenn sie das Küchenschrank-
fach für Tüten öffnete, zu sagen: »Ich altes dummes Mensch,
hätt ich bloß einen Zentner Zucker gekauft, bevor der Krieg
losging.« Als der Krieg losging, wurde ich eingeschult. Ich
bekam zwei Zuckertüten, eine von meinen Eltern und eine
von meinen Großeltern, und von Verwandten und Bekannten

Kragen, massenhaft Organdi- und Pikee- und Duchessekragen, die waren derzeit noch punktfrei. Im ersten Schuljahr wechselte meine Klasse den Klassenlehrer sechsmal. Schließlich behielten wir einen, der aus dem Ruhestand zurückgekehrt war. An Staatsfeiertagen hing um seinen gestellartigen Körper eine SA-Uniform. Ich mußte melden; wenn er das Zimmer betrat, mußte ich auf ihn zu rennen, die linke Hand seitlich an den linken Oberschenkel drücken, den rechten Arm hochreißen und melden: Klasse soundso mit soundso vielen Schülern zum Unterricht angetreten. Er nahm die Meldung erhobenen Armes entgegen, der Arm zitterte, der Kopf auch. Dann sagte er »Heitler«, nachdem die Klasse »Heitler« geantwortet hatte, befahl er Setzen. Wenn sie seinem Befehl nicht zackig Folge leistete, exerzierte er Setzen. »Zackig«, sagte er oft. Er sagte: »zagisch«, wenn er das Gebiß rausgenommen hatte: »sagisch«. In der Zeichenstunde nahm er meist das Gebiß raus und wässerte es in einem Glas, das auf dem Pult stand. Er unterrichtete alle Fächer. In Sport ließ er die Klasse im Hof Völkerball spielen oder im Schulgarten Unkraut jäten. Mich schickte er einkaufen. Außer Geld trug ich eine große Lebensmittelkartentasche mit vielen Fächern im Netz, in jedem Fach eine Karte, jede Karte hatte eine andere Farbe. Die Kartenköpfe mit den Marken, auf die es nichts gab, sammelte ich. Die meisten Schülerinnen unserer Klasse sammelten Kartenköpfe und Stammbuchblümchen und Zigarettenbilder. In den Pausen tauschten wir acht rote Brotkartenköpfe gegen drei Ufa-Schauspielerköpfe oder eine Zarah Leander. Zum Tag der Wehrmacht hatte ich mal gesehen, wie sich ein Soldat auf offener Bühne in Zarah Leander verwandelte und auch so sang. Das hatte mich mehr beeindruckt als Erbsen mit Speck aus der Gulaschkanone. Meine Mutter behauptete, auf der Zinkbadewanne wäre keine Gulaschkanone, sondern ein Puppenwagen zu sehen. Mein Puppenwagen lag umgestürzt auf dem Brikettstapel neben der Wanne. Ihrer eigentümlichen Form halber, die an einen Sargdeckel erinnerte, stand die Wanne nicht auf ihren drei Beinen, sondern auf dem Fußteil. Wenn es krachte, stellte ich mich in die Wanne. Seit dem 5. März schlief ich darin. Meine Mutter schlief auf Brettern,

die mit Matratzen belegt waren. In unserem Schlafzimmer
standen leere Bettrahmen. Die Wohnung roch nach Rauch,
der in braunen Wolken auf der verbrannten Stadt lag. Im
Keller roch es nach Kartoffeln und Kohlen und Sauerkraut.
Nach dem Angriff übernachteten die meisten Hausbewohner
im Keller. Ende April nur noch wenige. Nach dem 8. Mai
schlief ich allein im Keller. Den Beteuerungen der Erwachsenen schenkte ich keinen Glauben. Da sich die Kasernen im
gleichen Stadtteil befanden, fürchtete der Hauseigentümer,
mein Verhalten könnte sein Haus als Widerstandsnest verdächtig machen, er drohte meiner Mutter mit der Besatzungsmacht. Ab Juni 45 nächtigte ich wieder im Schlafzimmer. In
der Zinkbadewanne.

Gegen sechs verließ Borstmann oder Porstmann wie gewöhnlich das Hotel, singend, ein Bademantel wehte capeartig von seinen Schultern; als er zurückkam, war der rot-weiß gestreifte Frottee in Taillenhöhe von einem Gürtel gerafft, in der rechten Hand trug Borstmann oder Porstmann eine tropfende Badehose, in der linken ein Paar Sandalen, er sang: »Auf die Berge will ich steigen«. Bele fragte ihn vom Balkon aus nach der Wassertemperatur, sieben Mitglieder der Reisegruppe waren über sechzig. Frau Prumps, die an Borstmanns oder Porstmanns Arm die Gegend erwanderte, war vierundsiebzig, mit ihr hatte Bele noch kein Wort gewechselt. Die von Paul vorgenommene Tischauswahl behinderte sie. Normalerweise sprach er im Urlaub überhaupt nicht. Da bezog er sein Zimmer in der mütterlichen Wohnung, schloß sich ein und arbeitete. Seine Mutter stellte dann Essen auf einen kleinen Tisch, der im Korridor stand, rechts neben der Tür. Sie klopfte nicht an die Tür, warmes Essen war in Thermosbehältern untergebracht. Kaffee brauchte Paul nicht. Manchmal arbeitete er einen Tag, eine Nacht und noch einen Tag, ohne zu schlafen. Die Wissenschaftlerin Motel aus Leipzig hatte Bele erzählt, daß sie ihr Wohnzimmer an ausländische Messegäste vermietete, Vertreter aller Kontinente hätten sich in ihrem Gästebuch eingetragen, die Eintragungen dokumentierten die Weltgeltung der Leipziger Messe. Nach dem Frühstück ging Paul zum Friseur. Mit einem größeren Sortiment russischer, französischer, englischer und deutscher Zeitungen, Bele konnte auf der Terrasse Platz nehmen. Sie hörte gern zu. Paul brauchte eine Frau zum Zuhören, Gedanken hatte er selbst. Die Hotelterrasse lag etwa zwei Meter höher als die Straße. Blütenkolben am Straßenrand wachsender Agaven ragten über das Terrassengeländer. Jenseits der Straße war auf einer Betonplattform ein Kaffeegarten eingerichtet. Der Kaffee wurde in einem Kiosk gekocht. Um diese Zeit für Angestellte des Hotels, Gäste kamen erst später. Abends spielte eine

Kapelle zum Tanz auf. Halbstündlich, in den Tanzpausen, aßen und tranken die Musiker. Die Gattin des Reiseleiters Konstantin sprach über die Vorteile weiblicher Berufstätigkeit anhand des eigenen Beispiels, inzwischen hatten sich sechs Frauen auf der Terrasse versammelt. Frau Konstantin, Mutter von drei Kindern, wäre als Hausfrau gelegentlich von Traurigkeit befallen worden, wenn sie über ihr Leben nachgedacht hätte. Seitdem sie im Glühlampenwerk arbeitete, hätte sie zum Nachdenken keine Zeit mehr. Sie fühlte sich ausgezeichnet, die anfallende Haushaltsarbeit wäre organisiert zu schaffen, Frau Konstantins Zeitplan sah vor: Montag Fenster putzen, Dienstag waschen, Mittwoch plätten, stopfen, Donnerstag wischen, bohnern, Freitag Großeinkauf fürs Wochenende, Sonnabend backen oder einwecken, Friseur, Sonntag Gartenarbeit. Bele erzählte vom Institut. Im dritten Lebensmonat von Bruno hatte sie es angeschwommen. Ohne zu ahnen, daß es eins war, ein Wadenkrampf hatte sie an Land gezwungen. Sie zog sich an den Bohlen der Uferbefestigung auf die Wiese, die zum Institutsgelände gehörte, jenseits der Wiese stand eine Villa, Bele vermutete Wassersportklub, ein etwa dreijähriges Mädchen schenkte ihr einen Zwieback. Sie spielte mit dem Mädchen eine Weile Brotfabrik im Sandkasten. Später stellte sich heraus, daß das Mädchen die Tochter des Institutsdirektors war. Er brachte Bele ein Handtuch und beantwortete ihre Frage nach dem Grundeigentümer so ausführlich, daß Bele ihn fragte, ob sie den Kaskadengenerator nicht mal besichtigen könnte. »Klar«, sagte der Direktor, so gelangte Bele zu ihrem zweiten Beruf, das erzählte sie den Frauen natürlich nicht. Sie sprach über die Vermessung von physikalischen Ereignissen. Konstantinopel verfügte über vier Friseurgeschäfte, davon drei für Herren, die waren stets überfüllt, Paul war gegen zwölf zurück. Er gefiel Bele nie, wenn er vom Friseur kam, sie verfluchte die Friseure, die immer zu viel abschnitten. Er übersetzte ihr verschiedene Meldungen über den Vietnamkrieg, die waren teilweise älter als eine Woche. Sie las die Leserbriefseite der »Zeit«. Die Zuschrift eines gewissen Volkmar Freiherr von Richthofen, Steinbach a. Ts., schnitt Bele aus und klebte sie ins Tagebuch, die Zuschrift hatte folgenden Wortlaut: »Es ist geradezu furchtbar, welche Unruhe mit der Pille in unsere Häuser kommt. Gerade jetzt, wo wir Männer zu Hause nichts nötiger brauchen als Ruhe nach anstrengendster Berufsarbeit! Ob die pharmazeutische Industrie das wohl bedacht hat? Schäferspiele und Verführungskünste sind ja für einen richtigen Mann sehr schön. Aber doch nicht in der Ehe!

Ein Glück wenigstens, daß diese Frauen noch Angst vor ihrer Courage haben. So wie im Staat der deutsche Mann Ordnung nötiger braucht als Freiheit, so muß in der Familie die Frau sich unterordnen, wenn sie sich geborgen fühlen will. Auch im Beruf ist es äußerst unweiblich, wenn die Frau sich einbildet, auf Grund zufälliger Intelligenz bereits eine leitende Stellung bekleiden zu können.

Vereinzelt hört man die Meinung, daß die Demokratie in Familie und Beruf beginnen müsse und daß dazu auch die Gleichberechtigung der Frau gehöre. Das sind schöne Reden für Intellektuelle und Menschenrechtler. Genauso hört man, daß Männer die Liebhaberrolle ihrer jungen Jahre beibehalten wollen und im eigenen Schlafzimmer Abenteuer suchen. Doch der hl. Paulus von Casanova lehrt es anders.«

Abends besuchten Paul und Bele ein Konzert im Freilichtkino. Das war ein mauergefaßtes Rasenstück mit Gartenstühlen. Auf der ersten reservierten Stuhlreihe saßen Männer, die ihre Anzugjacken anbehielten, und Frauen in Brokatkleidern. Die Frauen hatten kleine Kinder auf dem Schoß, die größeren spielten während des Konzerts in den Gängen. Held des Abends war ein Sänger aus Cetinje. Als er die Bühne betrat, sprangen Zuhörer auf, als er ein Lied sang, klatschten und winkten Zuhörer, als er ein Lied über Cetinje sang, kletterten Zuhörer auf Stühle und winkten und schrien. Die Sänger traten in Nationaltracht auf, jede Republik war durch einen Sänger vertreten, die Musiker trugen Zivil. Sie begleiteten die Sänger mit Akkordeon, Elektrogitarre, Jazztrommel und Baß. Den Übersetzungen Bozas war zu entnehmen, daß sich die meisten der vorgetragenen Lieder mit Sehnsucht und Liebe beschäftigten, sie wurden halbgeschlossenen Augs gesungen. Textstellen wie »komm, süßer Freund« oder »küß mich«

beantwortete das männliche Publikum mit Beifall und verschiedenen Worten, die Boza mit »warte«, »gleich«, »sofort«
übersetzte. Ständig wurden die Sänger von enthusiastischem
Beifall unterbrochen. Mindestens nach jeder Liedstrophe En-
thusiasmus, gegen Ende des Konzerts verließ das Publikum
gelassen die Plätze, bevor noch die letzten Takte des Brdjanka
Kolo verklungen waren. Der Kolo endet jäh. Auf dem Weg
zum Hotel erzählte Bele Paul folgende Geschichte:

Es war an einem blauen Tag im Winter. Zwölf Grad Kälte. Trockene Luft. Schnee. Ich betrat den Bahnsteig. Eine zirka zehn Meter breite und hundert Meter lange Plattform, klein-pflasterbefestigt, vorn und hinten Eingänge mit Remisen, an der Klinkermauer des Pissoirpavillons stand in liederlicher Kreideschrift: »Wegen Umbau geschlossen, nächste Toilette Ostkreuz«, an der Klinkermauer des Warte- und Dienstpavillons stand gedruckt auf weißem Papier: »Wegen Bauarbeiten zwischen Zentralviehhof und Ostkreuz Pendelverkehr«, ver-dammt, dachte ich, denn ich hatte es eilig wie alle, die von der Arbeit kamen und aus dem vor der Zeitungsbude liegenden Schacht auftauchten, verdammt noch mal, dachte ich, weil das Lichtsignal noch immer Rot zeigte, man dachte, man wartete, man fror, und das Dach hatte auch noch immer ein Loch: das war der Bahnsteig. Und das war ich: ein Mensch mit Fahrkar-te. Konnte überall hinfahren. Konnte aussteigen, wo ich wollte. Konnte sitzen bleiben auf der Bank. Eine Bank stand nämlich auch auf dem Bahnsteig. Eine. Drei Menschen und zwei Männer saßen drauf. Ich saß links außen. Plötzlich kam einer und sagte: »Könnse nich ein Stückchen rücken?« Was macht man da? Rücken ging nicht: kein Platz, aufstehen ging nicht: ich bin eine Dame, ich sagte: »Trinken Sie einen Kaf-fee.« – »Sofort«, sagte er, »mit Ihnen sofort.« – »Wer keinen auf die Lampe gegossen hat, braucht keinen Kaffee zu trin-ken.« – »Könnse nachholen. Wollnse mit Ehrenfried einen auf die Lampe gießen, wollnse?« – »Nein«, sagte ich und stand auf. Obgleich ich eine Dame war. – »Oder wollnse bloß Kaffee?«
Der Zug fuhr ein. Ich riß die erste beste Tür auf und setzte mich zu einer Großmutter. Und hauchte ein Loch ins Fenster-eis. Und wischte mit dem Ärmel nach. Und sah raus. Abends ins Metropol, ND gelesen dabei gewesen, gut ist eine Lebens-versicherung. Der Bahnsteig schwebte hoch über der Straße, zirka sieben Meter hoch, auf einen Damm gestützt, hinter dem

Ausfahrtsignal auf eine Brücke gestützt, das schien noch immer Rot zu zeigen Gottverdammtnochmal. – »Tätse dir auch gefallen, wennde 'n Mann wärst wie icke, Oma, tätse dir auch schwer gefallen?« – Himmelgottverdammtnochmal. Oma faltete das ND zusammen. – »Tätste mit mir 'n Kaffee trinken, wennde son scharfes Kind wärst, Oma, tätste mit Ehrenfried einen trinken?« – »Ich war auch mal jung«, sagte Oma. – »Glaub ich.« – »Ich hatte auch immer Einladungen.« – »Glaub ich dir.« – »Ich war auch mal eine schöne Frau.« – »Glaub ich dir gerne, aber wenn zu mir jemand sagt, ich will dir 'n Kaffee kaufen, kiek ich nicht aus Fenster; Leute, mit denen man spricht, kiekt man an, hab ich gelernt, warum kiekstn mich nicht an mit deine schwarzen Ogen du?« – »Ich bin keine Oma«. – Er versicherte der Oma, daß er sehr gern neben ihr säße. Ferner bat er, ihn nicht mißzuverstehen, wenn er nunmehr den Platz wechselte. Er wechselte ihn nunmehr. Der Zug fuhr an. Vorbei am Signal, über die Brücke, über einen Straßenbahnwagen und zwei Busse und mehrere Autos, und die Menschen waren auch ziemlich klein, obgleich sie mit Quecksilberdampflampen beleuchtet wurden, ich fuhr über das bißchen Zeug weg, ich hatte eine Fahrkarte Stufe eins, konnte überall hinfahren, konnte aussteigen, wo ich wollte, konnte sitzen bleiben, Ehrenfried drückte seinen Oberschenkel gegen den meinigen, ich sagte »he«, der Druck ließ nach, ich blieb sitzen. Ich hatte ja eine Fahrkarte Stufe eins zu nullkommazwanzig Mark. – »Wie weit fahrn Sie?« – »Weit.« – »Ich steig die nächste aus. Steigen Sie die nächste auch aus und trinken mit Ehrenfried einen Kaffee? Warum denn nicht, das ist doch nichts Schlechtes, ein Kaffee, oder trinkense lieber Schnaps, Schnaps könnse auch haben, von Ehrenfried könnse alles haben, Ehrenfried hat Geld, glaubense nicht, könnse ruhig glauben, Oma glaubts auch, ja, hab ich gesagt, aber wenns nicht aussteigen, kann ich auch nicht aussteigen, logisch, einen Kaffee, einen kleinen, einen ganz kleinen, der ganze Wagen glotzt schon her, hab ich das nötig, betteln, hat Ehrenfried das nötig, seit acht Jahren fahr ich und noch keinen Stempel, was?, was schon, Baustoffe, wie der Name sagt, denkense vielleicht, Zement wird auf dem Buckel transportiert, augenblicklich überhaupt nicht, hab Urlaub und Geld hab ich auch und eine Wohnung hab ich, wollnse mal sehn, was ich für eine tolle Wohnung hab, ich zeige Ihnen gern, Sie sehn sich die Wohnung an, und ich setz inzwischen Wasser auf, und dann trinken wir einen schönen Kaffee, wollnse mit mir einen schönen Kaffee trinken, wollnse, wissense überhaupt wasse wolln, wo sind wirn eigentlich, Leninallee, hab von dem Mann zwei Bücher in der Stube zu stehn, könnse sich ansehn, wennse mich besuchen kommen, Sie kommen, was, Oma, Sie kommen, Frechheit siegt, ich tuse doch nicht belästigen, ich sag doch nur, Frechheit siegt, und das ist das Bedauerliche, aber ehrlich währt am längsten, und deshalb ist Ehrenfried ganz ehrlich und sagt: Ich bin sechsundzwanzig Jahre alt, seit fünf Monaten geschieden, und ich möchte bitte gern mit Ihnen einen Mokka trinken, einen Mokka sagt Ehrenfried, und was Ehrenfried verspricht, das hält er, denn Ehrenfried hat Geld und Urlaub und eine Wohnung und alles, bloß eine neue Frau braucht er, sonst fühlt er sich einsam, fühlnse sich auch einsam, warum denn nicht, Mann, sind Sie stur, warste früher auch so stur, Oma, Zentralviehhof, Zentralviehhof müssen alle raus, he Sie mit de schwarzen Ogen, aussteigen.« – Wir stiegen um in den Pendelzug. Wir pendelten dreimal hin und her. Als wir zum viertenmal in Ostkreuz anlangten, sagte Ehrenfried: »Mokka double.« Und ich sagte: »Fahr zur Hölle.« Und verließ den Wagen. Ich hatte eine Fahrkarte aus gelber Pappe. Mit einem Loch drin.

Der Pendelzug wurde abgefertigt. Ich lief den Bahnsteig entlang. Eine zirka zehn Meter breite und hundert Meter lange Plattform, kleinpflasterbefestigt, vorn und hinten Remisen, neben der vorderen Remise spaltete sich der Himmel, ein Lautsprecher grunzte Anweisungen für das Verhalten der Fahrgäste bei Pendelverkehr sowie bei Schnee- und Eisglätte, neben der vorderen Remise riß der Himmel auf bis zum Zenit, und das Eis begann zu schmelzen, verflucht, dachte ich, denn ich hatte es eilig wie alle, die auf den Anschlußzug warteten, der Wind pfiff durch meine Uniform, verfluchtnochmal, dachte ich, nieder mit der Straßenbahn, die ihren Schaffnerinnen keine Pelzmäntel kauft, aber da wurde mir schon heiß,

unheimlich heiß Gottverfluchtnochmal, denn der Riß verbrei-
terte sich zusehends, Flammen schlugen daraus hervor, ein
riesiges flammenspeiendes Maul hatte sich aufgetan neben der
vorderen Remise, die Kiefer mit grünschillernden Raffzähnen
besetzt, die weißglühende Zunge gespalten, der Rachen pur-
purn bis violett, langsam fuhr der Pendelzug in den Rachen
ein, auf dessen Lefzen schwärzliche, teilweise verkohlte Gestalten wimmelten, die schlugen sich gegenseitig mit Hämmern
die Schädel ein, mit verschieden großen aufeinander abge-
stimmten Hämmern in einem komplizierten, koloartigen
Rhythmus, als der Zug einfuhr, brachen sie mit den Hämmern
die Wagendächer auf und zählten die Seelen, die Corona des
Feuerrachens spielte in allen Farben des Spektrums und erleuchtete weithin den nachtschwarzen Himmel.
Sobald der Zug bis auf den letzten Wagen verschlungen war,
schlossen sich langsam die Kiefer. Als zwischen den oberen
und den unteren grünschillernden Zahnreihen nur noch ein
Spalt klaffte, warf ich die Fahrkarte auf den Bahnsteig und
zwängte mich durch den schmalen Spalt.
Es war an einem blauen Tag im Winter.

39 Grad im Schatten. Paul und Bele verbrachten den Tag im Bett. In Pauls Bett, sie vernutzten die Betten abwechselnd. Das Essen ließen sie sich aufs Zimmer bringen. Während der Kellner servierte, stand Bele unter der Brause. Bele hatte ein Appartement mit Bad. Paul hatte ein Appartement mit Duschnische. Ihn ärgerte noch immer, daß Konstantin ihm das Recht auf ein Zweibettzimmer abgesprochen hatte. Auf das Zweibettzimmer konnte er verzichten. Das Recht sanktionierte Gepflogenheiten. Denen zufolge werden Hochzeitsreisen nach erfolgter Eheschließung durchgeführt. Paul sprach über Max Planck, Axiome, die Quarks, Evariste Galois und den im Bau befindlichen Beschleuniger in Serpuchow. Er sprach stehend, erst jachelte er, dann zündete er sich eine Pfeife an; wenn sie brannte, riß er die Arme hoch, sprang auf und lief im Bett umher. Drei Schritte hin, drei Schritte zurück, oft stieg er über Bele hinweg, er hatte sehr große, wohlgeformte Füße. Seine Hände und Füße waren auffallend wohlgeformt, sein Gesicht war häßlich, wenn man es zum erstenmal sah. Bele sagte: »Wir werden noch durchbrechen.« Paul sagte: »Ich kauf dir eine Zobelmütze.« – »Schnapsidee«, sagte Bele. »Zobel ist ein königlicher Pelz«, sagte Paul, »es kommt nicht darauf an, ob eine Idee wahr oder falsch ist, ja ob sie überhaupt einen deutlich erkennbaren Sinn hat, sondern darauf, was sie leistet.« – »Und was leiste ich?« fragte Bele. Er antwortete, der Weg der Wissenschaft verliefe nicht geradlinig. Beim wissenschaftlichen Fortschritt spielte der Zufall keine geringe Rolle. Das gälte nicht nur für die Wissenschaft als fertiges Ergebnis der Arbeit vieler Gelehrten, sondern auch für die spezielle Forschung jedes einzelnen Wissenschaftlers. Wenn er schöpferisch tätig wäre, leitete er nicht ab, sondern kombinierte, vergliche. Er erarbeitete nicht die Wahrheit, er stieße wie durch Zufall auf sie. Folgten einige obszöne Bemerkungen, die Bele vorsorglich nicht notierte, obgleich sie ein Tagebuch schrieb. Paul pflegte derartige Be-

merkungen auch bei offiziellen Anlässen nicht zu unterdrük-
ken, Beles Vorgängerin Wiebke hatte sich in solchen Fällen
für ihn entschuldigt. Bele sagte: »Ich möchte dich mal in
einem neuen Arrangement für Gusle und Schlagwerk von Paul
Dessau rausbringen.« Er entgegnete, sie sollte nicht so unernst
sein. Sie sagte: »Ich bin unernst.« Er bestritt das, schilderte
ihr, wie sie wäre, und entwickelte eine spezielle Vaganten-
theorie. Sie ging aus von Beles erstem Beruf, den sie nach der
Scheidung aufgab. Sie hatte einen Unfall verschuldet, Menschenleben waren nicht zu beklagen gewesen, die Fahrerlaubnis war ihr für ein halbes Jahr entzogen worden, sie bewarb
sich nach der abgelaufenen Frist nicht wieder als Chauffeur bei
VEB Taxi, sondern blieb Schaffnerin. Als sie das Institut
anschwamm, fuhr sie bereits einundeinhalbes Jahr bei der
BVG, sie hatte höchstens ein halbes Jahr schaffnern wollen,
sie vertraute auf den Zufall. Als er verzögert eintraf, zögerte
sie nicht, »du hast bei uns angefangen, weil du glaubtest,
Laborantinnen reisen«, sagte Paul. »Reisen nicht im Sinne von
Ortsveränderung; als du merktest, daß mit Messungen keine
geistigen Abenteuer zu erleben sind, quittiertest du den
Dienst, laß mich ausreden. Physik ist eine männliche Wissenschaft, zu den eigentlichen Problemen dringen vielleicht drei-
hundert Physiker vor, alle anderen dieser Erde sind seßhaft.
Result: Ich kenne keine Physikerin, auf die ich scharf sein
könnte.« Er sagte »riserlt«. Bele sagte: »Feiner Quatsch, aber
du gefällst mir trotzdem.« – »Warum?« fragte Paul. »Ja«,
sagte Bele. Paul hob eine Braue, dem darunterliegenden Auge
entfielen keine Funken, sein Körper glänzte speckig. Er war
geschmückt mit einem bräunlichen Teint und schönen Schultern und einer dünnen Scheibe Speck auf den Rippen, Hüften
etwas zu breit, das Schamhaar im Gegensatz zum Kopfhaar
hellblond. Beine und Arme fast unbehaart. Der Anblick eines
nackten Mannes wirkte auf Bele ernüchternd. Sie sah Paul am
liebsten in einem weißen Baumwollhemd, das im Rücken von
einem in Hüfthöhe sitzenden Gürtel gerafft war, Paul sah Bele
am liebsten mit zerzaustem Haar. Nach dem Mittagessen, das
ebenfalls im Bett eingenommen wurde, benutzte er ihre Beine
als Lesepult und trug ihr Passagen aus Galois' nachgelassenen

Schriften vor, unter anderen diese: »Leider erkennen die wenigsten, daß die wissenschaftlich wertvollsten jene Bücher sind, in denen der Verfasser deutlich angibt, was er nicht weiß; denn ein Autor schadet seinen Lesern am meisten durch das Verhüllen einer Schwierigkeit.« – »Ich bin kein Autor«, sagte Bele, »ich schreibe ein Tagebuch«. Paul bezeichnete diese Tätigkeit als pubertären Exhibitionismus. Bele bezeichnete Pauls Tätigkeit als Erotomanie, sie notierte morgens im Bett den vergangenen Tag, nur morgens konnte sie sich zum Schreiben, Wäschewaschen, Bohnern und anderen widerwärtigen Arbeiten aufraffen, von einer Reise im Werte von insgesamt dreieinhalbtausend Mark mußte man etwas Schriftliches heimtragen. Beles Eltern hielten den Preis für eine komplette Wohnungseinrichtung angemessen und rieten Bele, das Geld entsprechend anzulegen. Bele bestand auf einer Hochzeitsreise. Mit Prag wäre sie allerdings zufrieden gewesen. Da Paul jedoch erst spät Zeit gefunden hatte, sich um die Reise zu kümmern, konnte er nicht aussuchen. Er nahm, was die Akademie bot. »Ich habe dich sofort geliebt«, sagte Paul. »Theoretisch unhaltbar«, sagte Bele. »Nach unserem ersten Zusammentreffen wußte ich, daß ich dich liebe«, sagte Paul. »Tatsache, die Tatsachen bilden stets den archimedischen Punkt, von dem aus auch die wichtigste Theorie aus den Angeln gehoben werden kann, insofern ist für den richtigen Theoretiker nichts interessanter als eine Tatsache, die mit einer bisher allgemein anerkannten Theorie in direktem Widerspruch steht, denn hier setzt seine eigentliche Arbeit ein.« Er begab sich wieder an die eigentliche Arbeit, die Bele nicht notierte, weil sie deren Wesen für nicht notierbar hielt. Da Bele über das allgemeine Bildungsniveau unterrichtet war, wußte sie Pauls Fertigkeiten zu schätzen. Die hatten sie zu Beginn ihrer Bekanntschaft mehr beeindruckt als die Theorien, von denen war sie besoffen, der Anfang gelang ihr immer. Das Klima im Zimmer entsprach etwa dem, das bei Hundstagen daheim auf dem Spitzboden herrschte. Unter derartigen Bedingungen verdiente jede Bewegung die Bezeichnung Arbeit. Bele bewunderte Paul. Und Paul bewunderte Bele. Heißer Wind bauschte die Vorhänge, die nur noch an wenigen Haken hingen. Die roten Druckstellen des Vorhangstoffs waren verschlissen. Pauls Augen glitzerten aus tiefen Höhlen. Sein Haar roch nach Rosenöl. Er unterbrach und wusch sich, obgleich Bele den Tag für einen sicheren hielt. Um ihm zu zeigen, daß auch sie im Gepäck Bücher mitführte, las sie ihm später ein Gedicht von Ruth Berlau vor, das Brecht fast wörtlich, jedoch ohne Zeilenbrechung, als Gedankengut eines seiner chinesischen Weisen dem Werk einverleibt hat. Da Bele das Original nicht zur Hand hatte, war sie auf Vermutungen angewiesen. Sie vermutete viele Zeilenbrechungen. Die hob sie durch Pausen hervor. Sie las so: »Ich spreche nicht / über die fleischlichen Freuden, obgleich über die viel zu sagen wäre; / noch über die Verliebtheit, / über die weniger zu sagen ist. / Mit diesen beiden Erscheinungen käme die Welt aus, aber die Liebe muß gesondert betrachtet werden, / da sie eine Produktion ist. / Sie verändert den Liebenden / und den Geliebten, / ob in guter oder in schlechter Weise. / Schon von außen erscheinen Liebende wie Produzierende, / und zwar solche einer hohen Ordnung. / Sie zeigen die Passion und Unhinderbarkeit, / sie sind weich / ohne schwach zu sein, / sie sind immer auf der Suche nach freundlichen Handlungen, / die sie begehen könnten (in der Vollendung nicht nur zum Geliebten selber). / Sie bauen ihre Liebe / und verleihen ihr etwas Historisches, / als rechneten sie mit einer Geschichtsschreibung. / Für sie ist der Unterschied zwischen keinem Fehler und nur einem Fehler ungeheuer / – welchen Unterschied die Welt ruhig vernachlässigen kann. / Machen sie ihre Liebe / zu etwas Außerordentlichem, / haben sie nur sich selber zu danken, / fallieren sie, / können sie sich so wenig mit den Fehlern des Geliebten entschuldigen / wie etwa die Führer des Volkes mit den Fehlern des Volkes. / Die Verpflichtungen, die sie eingehen, / sind Verpflichtungen gegen sich selber; niemand könnte die Strenge aufbringen in bezug auf die Verletzungen der Verpflichtungen, / die sie aufbringen. / Es ist das Wesen der Liebe / wie anderer großer Produktionen, / daß die Liebenden vieles ernst nehmen, / was andere leichthin behandeln, / die kleinsten Berührungen, / die unmerklichsten Zwischentöne. / Den Besten gelingt es, / ihre Liebe in völligen

Einklang mit anderen Produktionen zu bringen; / dann wird ihre Freundlichkeit zu einer allgemeinen, / ihre erfinderische Art zu einer vielen nützlichen, / und sie unterstützen alles Produktive.« Paul hatte die Liebe ein Vierteljahr arbeitsunfähig gemacht. Bele fragte sich, ob sich Geschichten physikalisch verwerten lassen. Nach Mitternacht erzählte sie Paul folgende Geschichte:

»Wenn ihr einen Platz wollt, müßt ihr aktiv sein«, sagte der Sektionsleiter. Er stand auf der obersten Türstufe seiner Laube, die Stufen waren aus Granit, die Laubenwände aus Preßpappe gefertigt. Wir standen vor dem Steingarten, der sich in einer Breite von zirka einem Meter zwanzig um die Laube zog. Elias sagte dem Sektionsleiter, er solle mich ansehen, falls ihm Zweifel kämen. Der Sektionsleiter sah mich an. Mir kamen Zweifel. Ich folgte dem Sektionsleiter in die Kombüse, wo er mir zeigte, wie man Grog zubereitet. Dann setzte er sich auf die Koje und zeigte mir, wie man Grog trinkt. Elias lernte durch eins der Bullaugen, die die Laube mit Licht versahen. In diesem Licht gestand ich dem Sektionsleiter meine Zweifel und versprach zu lernen. »Lernen kann jeder«, sagte er, »wir sind eine anständige Sektion, bei uns wird gekämpft.« Ich fragte, mit wem ich kämpfen müßte, um aktiv zu werden. Der Sektionsleiter zog einen pelzgefütterten Mantel über den Trainingsanzug, schloß Bullaugen und Laubentür und führte uns zum Steg, der etwa fünfzehn Meter von der Laube entfernt war. Die Bohlen wummerten, meine Stahlabsätze schlugen höhere Töne aus den grüngrauen Hölzern als die breiten Absätze der Herrenschuhe. Der Sektionsleiter zog die Schuhe aus und bestieg das rechtsseitig am Steg angebundene Boot, das erste und einzige, das im Wasser lag. Er balancierte auf dem hochglanzpolierten Mahagonideck des Zwanzig-Quadratmeter-Jollenkreuzers, Konstruktionsklasse, griff nach dem Mast, lehnte sich mit dem Rücken dagegen, helles lackiertes Holz, von einer Saling gekreuzt, abgestagt, wuchs ihm mehrere Meter aus dem Kopf. »Wir befinden uns in einer neuen Etappe«, sagte der Sektionsleiter, »nur noch Regattaboote.« Elias bat, eine Ausnahme zu machen. »Wir stehen im Wettbewerb«, sagte der Sektionsleiter. Elias erbot sich, den Nachweis zu erbringen, daß man auch mit einem klasselosen Boot segeln könnte. »Ihr begreift nicht, worum es geht«, sagte der Sektionsleiter, »von solchen Leuten haben wir genug. Kommen nur bei schönem Wetter, kreuzen ein paar Stunden, dann werfen sie Anker und vergnügen sich. Wir sind eine Sportorganisation.« Der Wellenschlag eines Schleppzuges warf den Jollenkreuzer, hinter dem Sektionsleiter schlug der Mast aus wie das Pendel eines Metronoms, der Sektionsleiter stand lotrecht, der Steg schwankte. »Wir würden auch bei schlechtem Wetter kommen«, sagte ich, »sogar in der Woche.« – »In der Woche hat keinen Zweck, da sieht euch keiner.« Ich schlug die Hände vor die Augen und sagte: »Sehen Sie mich?« – »Stellen Sie einen schriftlichen Antrag«, sagte der Sektionsleiter und verschwand in der Kajüte. Die Mastspitze kitzelte den Himmelsbauch, der weiß und fett über dem See hing. Nasse Kälte sackte runter. Keine einzige Möwe, nur Enten. Elias führte mich ab. Durch die Laubenbarriere, die etwa fünfzehn Meter vom Ufer entfernt errichtet war. Die Frauen der Laubenbesitzer saßen hinter den Fenstern. Wir grüßten; wir froren auch. Die Männer schafften sich warm in den Bootsschuppen. Unser Boot paßte in keinen Schuppen. Es hatte vor einem Schuppen überwintern müssen, neben den Gleisen der Slipanlage. Auf dem Kielwulst stand es, mit zwei Böcken abgestützt, auf einem Bein durchstand es die kalten Zeiten. Nicht vorschriftsmäßig abgedeckt. Ohne Aussicht auf einen Sommerplatz. Übrig. Ach, Elias. Wir schlugen die naß-steife Persenning bis zum Schiebeluk zurück. Ich nahm den Kahn zuerst, rechten Fuß aufs Querholzende des hinteren Bocks, beide Hände ans Setzbord, hochziehen, Plichtsüll fassen, linkes Knie auf Deck stemmen, abstoßen vom Bock, Vierteldrehung, auf die Grätinge treten, in die Plicht springen, der Kahn wackelte. »Er wackelt«, sagte ich. »Er wird noch ganz anders wackeln«, sagte Elias. Er reichte nicht mal bis zur Scheuerleiste. Ich schob den Lukendeckel zurück, langsam, mit Mühe: Schimmel auf den Bodenbrettern, in ihren Löchern Wasserspiegel. Über die Leiter stieg ich in die Kajüte. Die stand mir bis zu den Schultern, wenn ich stand, Kopf im Wind, ich zog den Kopf ein und setzte mich auf die Steuerbordkoje. Gardinen zugezogen. Bullaugen geschlossen. Über mir wölbte sich das Dach gleich einer hohlen Hand. Im Backbordschwalbennest lag meine rote Hose. Ich schob mir die in Buchten gelegte Großschot unters Genick und streckte mich aus auf meiner Koje. Die und ich und die Kajüte, wir waren gleich lang. Der Himmel war fünfundsiebzig Zentimeter lang. Und ebenso breit. Meine Koje war etwas schmaler. Aus dem Lukhimmel fiel Regen. Ich legte meinen linken Arm aus ins Halbdunkel. Dann hinüber auf die Backbordkoje. An einigen Dachplanken hingen Wassertropfen. Leichter Regen fiel aus dem quadratischen Mahagonirahmen, der auf der Backbordseite ein Kerbzeichen trug. Der Kahn wackelte verdächtig. Elias köpfte den Himmel aus dem Rahmen. »Gewaltige Nasenlöcher«, sagte ich. – »Darf ich reinkommen?« – »Verkehrtrum hab ich dich noch nie gesehen.« – »Ob ich reinkommen darf.« – Ich erklärte ihm, daß der Kahn gelenzt werden müßte, was soviel bedeute wie ausgeschöpft und am rationellsten zu erledigen wäre, wenn ich die Pütz füllte und er sie entleerte. – »Wohin?« – »Über Bord, alles, was wir nicht brauchen, schmeißen wir über Bord.« Die Bodenbretter waren so verquollen, daß sie sich nicht heben ließen. Elias erfand Hebekonstruktionen in verschiedenen Varianten, von verschiedenen Theorien gestützt, ich entschied mich für die Variante Nagel und Schnur. Einen langen viereckigen Drahtstift umknotete ich in der Mitte seines Schaftes anweisungsgemäß mit dünner Leine, versenkte den Stift im Loch des hinteren Bodenbretts, richtete ihn dann so unterm Holz, daß der Knoten in der Mitte des Lochs erschien, und reichte die Leinenenden dem Erfinder. Der band sie landmännisch um eine Spiere, erklärte mir das Prinzip der Hebelwirkung und demonstrierte sie später praktisch, wobei sich das Bodenbrett tatsächlich hob. Das Wasser stand bis an die Bodenwrangen. »Neun Pützen«, sagte ich. »Zehn«, sagte Elias. Wir wetteten um eine gemeine Currywurst. Ich schöpfte mit einer Konservendose, die ich vor einem halben Jahr ausgelöffelt hatte. Zur Hälfte. Etikett mit Mandarinenbild und chinesischen Schriftzeichen. Das Wasser war grün und schäumte, wenn ich es in die Pütz kippte. Es roch nach Karbolineum. Verfinsterung. Elias deckte das Luk ab, sein Kopf schwarz über mir: Lachmöwe. »Hunger«, sagte er. »Raubtier«, sagte ich. »Wie«, fragte er. – »Möven sind Raubtiere, nimm mir mal die Pütz ab.« Sein

Arm langte herein und hievte die randvolle Pütz aus dem Luk. Klatschgeräusch. »Ganz schöner See«, sagte Elias, »wenn du noch lange schöpfst, liegen wir im Wasser, mir ist so.« Die siebente Pütz füllte ich mit dem Schwamm. Dann schrieb ich einen Gutschein für eine gemeine Currywurst, riß den Zettel durch und gab Elias eine Hälfte. Er stieg herein und beanspruchte die Steuerbordkoje. »Gehört dem Kapitän«, sagte ich. – »Wir können doch so nicht segeln, oder?« – »Wenn du dich neben mich setzt, kippt der Kahn.« – »Die Böcke halten nicht?« – »Halten nicht.« – »Also rauchen wir eine«, sagte er und setzte sich mir gegenüber. Graue Säulen, unter dem Stoff zeichneten sich Knie ab, lichter Abstand zwischen den Knien zirka ein Meter zehn. In Höhe dieser gedachten Geraden begann der Hals, von dem aber auch nichts zu sehen war, er steckte in einem Rollkragen, Segelpullover haben Rollkragen. Vom Haar war ebenfalls nicht viel zu sehen, frisch geschoren, Friseure gehören eingesperrt. Bootsbauer auch. Wer wußte, wieviel sie mir wieder abnahmen fürs Überholen von Elias. So hieß nämlich mein Boot, kein Holzpantoffel etwa, ein Zwei-undzwanzig-Quadratmeter-Kajütkreuzer, seegängig. »See-gängig«, sagte Elias, mein Fockmann, und krallte seine Finger um meine Ohren. Der Kahn wackelte gefährlich. »Aufhören«, sagte ich, ich bin der Kapitän, an Bord gilt mein Befehl. Elias befolgte ihn. Er steckte zwei Zigaretten in seinen Mund, zündete sie an und reichte mir eine. Der Rauch sammelte sich unterm Deck, das sich über unseren Köpfen wölbte gleich einer hohlen Hand. Bullaugen geschlossen, Gardinen zugezo-gen. Über der linken Schulter von Elias leuchtete meine rote Hose. Elias schrieb den Antrag für Elias, der seit der neuen Etappe heimatlos war. Voriges Jahr, als wir ihn gekauft hat-ten, wurde er noch als Gast geduldet. Nun war der See für ihn geschlossen. Denn Elias gehörte weder zu einer Formelklasse noch zu einer Konstruktionsklasse. Er war sechs Meter lang und einen Meter fünfundachtzig breit, vierzehn Jahre alt, hochgetakelt und hatte einen Starbootkiel. Und einen Namen. Einen männlichen Vornamen, man konnte mit ihm reden. Mit einem Neutrum kann man nicht reden, Elias verstand jedes Wort. Kommandorufe, das Gehäuse vibrierte, dumpfes Rollen: Der Slipwagen fuhr ein Boot ins Wasser. »Schöner leichter Regen«, sagte Elias, wobei er jäh das Kinn hob und die Stirn von der Nasenwurzel aus fächerförmig kerbte. Als wir den Antrag einreichten, erklärte der Sektionsleiter, wir hätten Aussicht, wenn wir ein Fahrtenbuch anlegten und Punkte sammelten.

Vom Stadtstrand aus beobachteten Paul und Bele eine montenegrinische Hochzeitsgesellschaft, die das Brautpaar zum
Schiff brachte, seit 20. 6. verkehrte täglich zwischen Bar und
Konstantinopel ein Motorschiff. Das Brautpaar ging an Bord.
Die Hochzeitsgesellschaft blieb zurück. Als das Schiff ablegte,
liefen die Zurückbleibenden winkend und schreiend mit bis
zum Ende der Kaimauer. Dort sprang ein Mann mittleren
Alters ins Wasser und schwamm noch etwa fünfzig Meter
winkend und schreiend neben dem Schiff her. Der Mann trug
schwarzen Anzug, Nylonhemd, Krawatte und Lackschuhe.
Dann besuchten Paul und Bele auf Empfehlung von Herrn
Wöllner den Basar am Stadteingang. Um zu photographieren.
Wöllner reiste, um zu photographieren. Er trug ständig zwei
Kleinbildkameras bei sich, eine mit Schwarzweiß-Film und
eine mit Farbfilm, außerdem verschiedene Objektive und
einen photoelektrischen Belichtungsmesser. Alle Apparaturen
befanden sich in braunen Lederetuis und hingen an Riemen,
die querten die Brust vergleichbar dem Bandelier eines preu-
ßischen Dragoners. Bele hatte eine schwarz-weiß-filmbestück-
te Sechs-mal-sechs-Spiegelreflexkamera. Der Film war noch
unbelichtet. Sie hatte ihn in Berlin eingelegt. Wöllner sagte, in
Berlin hätte er elf Monate Zeit, die Urlaubslandschaft in Ruhe
zu genießen. Er entwickelte und vergrößerte selbst, Reiseleiter Konstantin pflegte sich vor dem Auslösen bei Wöllner nach
der füglichen Blende und Belichtungszeit zu erkundigen. Bele
schätzte. Risikolose Unternehmungen langweilten sie. Paul
hatte sie noch nicht gelangweilt. Sie photographierte einen
Teppichverkäufer, einen Schuhverkäufer und verschiedene
Bergbauern und Bäuerinnen, die Honig, Öl, Maulbeeren,
Zwiebeln und lebendes Geflügel feilboten. In geringen Mengen. Kleines Angebot an Waren, großes Angebot an Verkäu-
fern, Sanitätsrat Kunsch hatte Honig gekauft. Er erzählte Paul
und Bele, daß er eben einen amerikanischen Kollegen auf dem
Basar begrüßt hätte, bisher wären sie nur auf Kongressen

zusammengetroffen. Bei diesen Gelegenheiten hätte der amerikanische Kollege nie versäumt, Kunsch von seinen Erlebnissen auf Hawaii zu berichten, wo er jedes Jahr mit Familie den Urlaub verbrachte. Deshalb wäre Kunsch nicht wenig erstaunt gewesen, ihn in Konstantinopel zu sehen, und sagte ihm das wohl auch. Der amerikanische Kollege bezeichnete Hawaii als unzumutbar, seitdem in Vietnam stationierte US-Soldaten dort ihren Urlaub verbrächten. Jedem Soldaten stünden einmal jährlich sechs Tage Urlaub auf Hawaii zu, ihre Frauen und Kinder würden für den halben Flugpreis von Kalifornien eingeflogen. Flugplatz und Busbahnhöfe stünden voller Frauen mit nassen Gesichtern, Freuden- oder Abschiedstränen, die besten Strandstücke gehörten der Armee. Verdientermaßen, meinte der amerikanische Arzt, jeder vierte Soldat kehrte nicht oder als Krüppel aus Vietnam zurück, die Soldaten hätten den Urlaub kostenlos, die Frauen hätten ihn billig, Ausflüge und Katamaransegeln zu ermäßigten Preisen, Trauungen am Ankunftstag, der amerikanische Arzt wollte sich im Urlaub erholen. Sanitätsrat Kunsch lobte die Atmosphäre Konstantinopels. Seine Frau erzählte, daß eine Freundin aus Winterthur kürzlich einen amerikanischen Hochschulprofessor geheiratet hätte. Über IBM, ein Eheanbahnungsinstitut in Zürich namens Selectron-Universal kombinierte Ehen nach soziologischen, psychologischen und anderen Gutachten mit einer Rechenmaschine. Gegen eine Grundgebühr von 240 Mark könnten sich Damen bei Selectron in die Ehewilligenliste einschreiben. Herren brauchten keine Grundgebühr zu zahlen, die Tarife des Instituts richteten sich nach Angebot und Nachfrage. Aus Preislisten, nach Alterskategorien aufgestellt, könnten die Kandidaten gleich zu Beginn des Unternehmens ersehen, was spezifische Eigenschaften des gewünschten Partners kosten. Natürlich auch, was aufzuzahlen ist, wenn man einer wenig gefragten Gruppe angehört. Damen zahlten grundsätzlich 240 Mark mehr als Herren. Ein Kind mit in die künftige Ehe zu bringen koste einen Vater 120 Mark, eine Mutter 180 Mark. Damen ohne Vermögen müßten diesen Nachteil mit 120 Mark ausgleichen; ebensoviel koste es, kleiner als 1,55 m zu sein. Mehr als ein Scheidungsurteil mit in die

Ehe zu bringen, erhöhte den Preis auf 360 Mark. Damen, die einen Katholiken zum Altar führen wollten, aber selbst katholisch geschieden wären, müßten 600 Mark Aufpreis zahlen. Wäre ein Akademiker mit mehr als 3000 Mark Monatseinkommen erwünscht, ohne daß die Suchende selbst gebildet ist, was auf die Freundin aus Winterthur zuträfe, müßte das mit 720 Mark abgegolten werden. Am billigsten wären indes die gescheiten Frauen. Eine Akademikerin hätte für ihre Bildung 240 Mark Strafaufpreis zu zahlen, während ein Mann, der ohne weitere Wünsche auch eine Gebildete akzeptierte und selber keine Mängel aufwiese, seine Frau Doktor kostenlos von Selectron beziehen könnte. Frau Kunsch äußerte Lust, sich bei Selectron einschreiben zu lassen. Am Verkauf der Honiggläser, die ihr Mann auf dem linken angewinkelten Unterarm trug, war eine ganze Familie beteiligt gewesen, Großvater, Großmutter, zwei Söhne mit ihren Frauen und drei Kinder. Alle in zum Teil reichlich bestickte Trachten gekleidet, ihre Esel und Maultiere waren mit bunten Teppichen behangen. Bele kaufte beim Teppichverkäufer einen Bettvorleger, der über die Hälfte ihres Taschengeldes verschlang, Paul prophezeite, daß der Zoll noch mehr verschlingen würde. Paul kaufte ein Kilo Maulbeeren. Er aß drei Stück. Die übrigen schenkte er Bele. Der Basar war ein gesellschaftliches Ereignis. Eine Art Sterntreffen mit kommerziellem Anlaß, die Bergbauern verloren den Anlaß nicht aus den Augen, sie priesen ihre Waren, die sich auf den rohgezimmerten, vernutzten Verkaufstischen verloren, lauthals an, über dem kleinen Platz ballte sich Stimmengewirr. Der Platz war umgeben von unebenen Häusermauern und einer niedrigen Mauer an der Straßenseite. Die einstöckigen Häuser waren grell getüncht, Rosa überwog. Hinter den Häusern lag in einer Bodensenke der muselmanische Friedhof: Etwa ein Dutzend lattenförmiger Steinstücke ragten aus dem Rasen. Bele verkaufte den Bettvorleger am Kaufort ohne Verlust der wissenschaftlichen Lehrerin. Als der Rektor in Ruhe erwähnte, daß sein Sohn kürzlich das Rigorosum absolviert hätte, sagte Paul: »Ich habe kürzlich habilitiert.« Obgleich er tatsächlich noch nicht habilitiert hatte, die Arbeit war jedoch so weit fertig, daß er sie nur noch »zusammenschreiben« mußte. Die sprachliche Fixierung der Forschungsergebnisse nannte er »zusammenschreiben«. »Arbeiten Sie auch meteorologisch?« fragte der Rektor in Ruhe. »Ich bin Physiker«, antwortete Paul. – »Meteorologischer Physiker?« – »Atomphysiker.« – »Was«, sagte die wissenschaftliche Lehrerin. »Ganz ausgezeichnet«, sagte der Rektor in Ruhe. »Und woran arbeiten Sie da, wenn ich fragen darf?« sagte die wissenschaftliche Lehrerin nach einer Weile. »An unserer Sicherheit«, sagte der Rektor in Ruhe, »die Forschungsergebnisse sind verständlicherweise geheim, ich bezwinge meine Neugier.« Er wünschte Paul viel Erfolg und schüttelte ihm beim Abschied die Hand, wobei er sich verneigte. Da der Tag nicht weniger heiß war als der vergangene, erzählte Bele Paul am Nachmittag folgende Geschichte:

Weißes Ostern

Als ich den Umsteigebahnhof erreichte, hatte sich der Abstand zwischen den Wehen auf zwanzig Minuten verringert. Die Menschenmenge drängte aus den Zugtüren zu den Abgängen. Ich stellte meinen Koffer an die rechte Wade und wartete am Ende des Bahnsteigs, der auf eine Brücke gebaut war. Bei Ausfahrt des Zuges erzitterte die Brücke. Er gab die Aussicht frei auf die beiden Dächer der Bahnsteige, die die Brücke rechtwinklig kreuzten. Die Dächer waren umgeben von einem Lichthof, der hob sie aus der Dunkelheit. Zwischen den Bahnsteigen waren zwei, rechts und links von ihm mehrere Gleispaare verlegt. Der Wind fegte Schnee von den blühenden Forsythiensträuchern, die den Bahndamm bewuchsen. Als die Menge in den Abgangsschächten versackt war, nahm ich den Koffer wieder vorsichtig auf und stieg langsam die Stufen zum rechten Inselbahnsteig hinab. Eine Wehe überraschte mich, ich steuerte die nächste Bank an, konnte sie jedoch nicht mehr erreichen und ließ mich auf meinen Koffer nieder. Die Bank war besetzt von einem Mann und drei Frauen. Da ich mich der im Kursus erhaltenen Ratschläge erinnerte, blieb ich auf meinem Koffer sitzen und memorierte psychoprophylaktische Verhaltensweisen. Obgleich laut Anweisung bei vorzeitigem Blasensprung unverzüglich die Klinik aufzusuchen ist, hatte der Zug Verspätung. Dann bummelte er, der Taxichauffeur fuhr höchstens dreißig, und vor der Tür der Entbindungsstation mußte ich auch warten, ehe nach mehrmaligem Klingeln eine Schwester öffnete. Ich überreichte eine Karte, die bescheinigte, daß ich den psychoprophylaktischen Kursus absolviert hatte, und brachte mein Anliegen vor. Die Schwester steckte die Karte in ihre Schürzentasche, nahm mir den Koffer ab und trug ihn durch einen warmen, auffällig gebohnerten Korridor, der nach Wofasept roch, echofähig war und überbelichtet. Die weißen Wände blendeten. Die steifgestärkte Schürze und die Faltenhaube auch, die Schwester sah neuwaschen, gestärkt und antiseptisch aus. Im Aufnahmezimmer brühte sie sich einen Kaffee, derweil ich mich auszog. Ich schloß meine Kleider in ein Spind und hoffte, sie würden mir bald nicht mehr passen. Da ich geschult und belesen war, wunderte ich mich nicht, daß mir ungebadet ein Nachthemd zuerkannt wurde, es bedeckte vermutlich die Oberschenkel. Dann watschelte ich zu einer Pritsche, alle hochschwangeren Frauen watscheln breitbeinig mit vorgestrecktem Bauch, der hatte bereits abgenommen, mit Hilfe einer Fußbank erstieg ich die Pritsche. Die Schwester räumte das Kaffeegeschirr beiseite, reichte mir ein Thermometer, zählte die Pulsschläge, drückte ein kaltes Metallhörrohr gegen meinen heißen Bauch und setzte sich zufrieden hinter den Schreibtisch. Dort notierte sie meine Personalien und befragte mich nach Kinder- und anderen Krankheiten, Operationen, Geburten, Fehlgeburten, Schwangerschaftsunterbrechungen, Schwangerschaftsverlauf, Geburtstermin, Wehenbeginn, Wehendauer, Wehenabstand, ich vermutete Markstückgröße. Die Schwester streifte einen Gummihandschuh über die rechte Hand und sagte bald: Haselnußgröße. Sie lachte mit beiden Mundwinkeln, aber ich ließ mir keine Enttäuschung anmerken, die Literatur behauptet, Enttäuschung senkt die Schmerzwelle. Die Schwester kreidete meinen Namen auf eine blaue Tafel. Die war so breit wie die Wand und etwa zwei Meter hoch, Angaben über alle Eingänge des Tages waren auf sie gekreidet, vor meinem Namen stand die Nummer 21, die Schwester wünschte mir Glück für das bevorstehende einzigartige Ereignis und geleitete mich in den Kreißsaal. Auf dem Weg dorthin über den auffällig gebohnerten, echofähigen Korridor fragte ich mich, woher ich die Leute kannte. Der Mann hatte vornübergeneigt in der Bankecke gelehnt, die drei Frauen sprachen miteinander, ihre Münder dampften. Als der S-Bahn-Zug nach Mahlsdorf einfuhr, standen die Frauen auf und bedeuteten dem Mann, er sollte aufwachen, wenn er mitreisen wollte. Dann klopfte ihm die älteste der Frauen Bauch, Arm und Rücken, schließlich ergriff sie seine Schulter und rüttelte ihn derart, daß sein Kopf gegen das über der Lehne der Doppelbank angebrachte weißemaillierte Schild schlug, auf dem mit großen schwarzen Lettern der Name »Ostkreuz« geschrieben stand. Die Tür mit der Aufschrift »Kreißsaal« war offen, ein Pfleger schob eine Räderbahre in den Korridor, auf der Bahre lag eine Frau mit verklebtem Haar, der Pfleger sagte zur Schwester, der Oberarzt wäre mit seinem Mercedes im Schnee steckengeblieben, die Schwester sagte »Patientin vom Chef«, ich wurde in den kleinen Kreißsaal geführt. Ein Raum mit hellblau gekachelten Wänden, zwei leere Betten mit Nachttischen am Kopfende und kleinen Tischen hinter den Fußbrettern, auf den kleinen Tischen verchromte Instrumentenkästen, daneben in Gestellen hängende Deckelschüsseln, zwischen den Betten ein Paravent, den Milchglasfenstern gegenüber Wasserboiler, Spülbecken, an der Stirnwand die Uhr. Die Uhr zeigte sieben Minuten nach Mitternacht, als ich das Kreißbett bestieg. Keine Minute später trat eine Frau mit Halsbrosche auf und an mein Bett und begrüßte mich mit Handschlag, ich hielt sie für eine Hebamme, sie war jedoch die Oberhebamme. Sie rasierte mich unverzüglich, verabreichte einen Einlauf und schimpfte über das unzeitgemäße Wetter. Dann gab sie mir ein Thermometer, zählte die Pulsschläge, stellte ein kaltes Hörrohr auf meinen heißen Bauch und setzte sich zufrieden hinter den Schreibtisch. Im kleinen Kreißsaal stand nämlich auch ein Schreibtisch. Nunmehr notierte sie meine Personalien und befragte mich nach Kinder- und anderen Krankheiten, Operationen, Geburten, Fehlgeburten, Schwangerschaftsunterbrechungen, Schwangerschaftsverlauf, Geburtstermin, Wehenbeginn, Wehenabstand, Wehenstärke, ich sagte: erträglich, Haselnußgröße, manche Männer mögen bescheidene Frauen. Die Oberhebamme streifte einen Gummihandschuh über die rechte Hand und sagte bald: »Blumendraht.« Meine Wehen bezeichnete sie als unernst. Sie riet mir zu schlafen, um Kraft zu sparen, und wünschte eine gute Nacht. Dann löschte sie das Licht, ging und ließ die Tür offen. Die Tür führte zum großen Kreißsaal nebst Babyraum. Ich wälzte mich auf die Seite, auf der ich keine Bewegungen spürte, Entspannungslage, gelernt ist gelernt, ein Kreißbett ist hart, ich kniff die Augen zu, um Kraft zu sparen. Der Oberarzt schien eingetroffen zu sein, ich hörte seinen Amtstitel wiederholt von weiblichen Stimmen gerufen und eine männliche Stimme, die sagte: »Schöner

Sonntag.« Stöhnen, Schreie, Befehle, Babygebrüll, ich ärgerte mich, daß ich noch immer in meinem Gedächtnis nach dem Speicherplatz suchte, den der Mann und die drei Frauen besetzt hielten. Der Mann hatte einen rundschädligen Kopf, der mit schütterem blassem Haar und einer Fräse bewachsen war. Augen, Brille, Haut und Anzug schienen von gleicher Blässe und Dürftigkeit wie das Kopfhaar, jedenfalls fiel bei Licht nur der rote, üppig wachsende Bart ins Auge. Die messingfarbene Sichel teilte die Gestalt des Mannes, jemand behauptete, er hätte einen Hammer, die Frauen riefen nach einem Arzt. Aller Stunden etwa kam ein Arzt mit einem Gummihandschuh an mein Bett, aller halben Stunden eine Schwester mit Metallhörrohr und Minutenglas, wenigstens aller Viertelstunden hörte ich den ersten Schrei eines Babys. Von meinem wurde mir nur berichtet, daß es ihm gut ginge, Kopflage. Es trat mein Zwerchfell. Alle Ärzte, die in dieser Nacht meine Bettdecke lüfteten, sagten, daß sie ein Wehenschema ansetzen und Penicillin spritzen würden. Die Chefvisite wurde für acht Uhr erwartet. Um fünf kam die Reinigungsfrau und bezeichnete Äußerungen, die behaupteten, alles wäre vergessen, sobald das Kind da wäre, als Mumpitz. Solche Schindereien vergäße man nicht, sie hätte die Strapaze sechsmal durchgemacht, ihr könnte man nichts erzählen. »Hatten Sie den Kursus für schmerzarme Entbindung absolviert«, fragte ich. »Gott bewahre«, sagte sie. »Elf Jungs in dieser Nacht, heute ist die Jungskiste offen, wenn Sie sich beeilen, kriegen Sie vielleicht noch einen ab, mein Mann war wütend, als das erste ein Mädchen war, es ist doch Ihr erstes?« – »Ja«, sagte ich. »Aha«, sagte sie, »manche Männer haben ihre Frauen nicht besucht, wenn Mädchen angekommen waren, deshalb dürfen die Schwestern den Vätern am Telefon nicht verraten, ob Männlein oder Weiblein, Anweisung vom Chef, ich hab vier Söhne und zwei Töchter, und was wünschen Sie sich?« – »Einen Menschen«, sagte ich. – »Und Ihr Mann?« – »Ich wünsche mir einen gesunden Menschen von mäßiger Intelligenz«, sagte ich. »Manche Tage entbinden mehr ledige Frauen als verheiratete«, sagte sie, »ich hab mit achtzehn geheiratet und die Kinder hintereinander weg, meine Mutter hatte acht, als die Kinder groß waren und mein Vater tot, hat sie sich ein schönes Leben gemacht.« Wir wünschten einander Glück und begaben uns an die Arbeit: sie wischte und bohnerte, ich atmete anweisungsgemäß. Um sieben wurde meine Bettdecke faltenfrei gestrichen. Dreiviertelneun erschien der Chef mit dem Oberarzt, einer Oberärztin, zwei Ärzten und der Oberhebamme, die Assistenzärzte mußten draußen bleiben, der Chef sagte »Wehenschema, Penicillin« und fragte mich, ob ich mir die Gemäldeausstellung angesehen hätte, wir tauschten unsere Ansichten über Paula Modersohn-Becker aus. Nach der Visite brachte mir die Oberhebamme drei Pillen, ein Glas Wasser, eine Penicillinspritze, eine zweite Tischglocke und sagte: »Sachen gibt's, neulich kam abends ein Mädchen, da war schon der Kopf zu sehen, sie kam mit Mutter und Schwiegermutter und Mann, ein verheiratetes Mädchen von siebzehn vielleicht, der Mann war auch nicht viel älter und konnte vor Aufregung nicht sprechen, ich sagte zu ihm, hat denn Ihre Frau nicht über Schmerzen geklagt, Eröffnungswehen sind doch schmerzhaft, die meisten Frauen empfinden Eröffnungswehen schmerzhafter als Preßwehen, Ihre Schwiegermutter muß doch gemerkt haben, daß es soweit ist, warum kommen Sie denn so spät, aber er konnte nichts sagen, kaum hatten wir ihr die Kleider runtergerissen, war das Kind auch schon da, Sachen gibt's.« In einem von den Büchern, die ich gelesen hatte, stand, daß eine Generation erzogen werden müßte, der der Begriff »Geburtsschmerz« überhaupt nicht in den Sinn käme, weshalb das Wort weder gesprochen noch geschrieben werden, sondern durch das Wort »Geburtszusammenziehung« ersetzt werden müßte. Es wäre zwar natürlich, daß eine schmerzarme oder kurze Entbindung nicht das Interesse von klatschsüchtigen Frauen weckte, die sich lieber eine unregelmäßige und komplizierte Geburt dramatisch schilderten. Wer jedoch ein Kind erwarte, der solle derartigen Schilderungen erst gar nicht zuhören, da sie den bedingten Reflex auf Schmerzen verstärkten, die Zugaufsicht hatte geschrien, der Bahnhofssanitäter wäre verständigt. Alle, die auf der Rückseite der Doppelbank gesessen hatten, erhoben sich jäh und rafften ihr Gepäck an sich. Im Menschenstrom, der sich

von dem ein Stockwerk höher gelegenen Bahnsteig herab-
wälzte, entstand ein Wirbel. Wer in seinen Sog geriet, wurde
einer kreisförmigen Menschenansammlung einverleibt, deren
Mittelpunkt der Mann war, den ich kannte, aber woher. Sein
Kopf hatte sich so weit vornübergeneigt, daß der messingrote
Bart auf seiner Hemdbrust lag wie ein Eßlatz. Einmal stünd-
lich drei Pillen, langsam begannen sie zu wirken, die Oberärztin sagte: »Mal sehen, ob Sie es allein schaffen.« – »Und
wenn ich es nicht allein schaffe?« fragte ich. »Müssen wir es
holen«, antwortete sie. Im Gemüsekonsum half ein Schwachsinniger, Zangengeburt, früher sollen die Lebensaussichten
bei vorzeitigem Blasensprung gering gewesen sein, behauptet
Anne, meist hätte man das Kind zerstückelt, um die Mutter zu
retten, ich fror, ich erinnerte mich, daß meine Freundin Anne
für den Kreißsaal wollene Strümpfe empfohlen hatte, meine
Freundin Anne ist Krankenschwester, wer schreit, arbeitet
nicht, sagt sie, ich beschloß zu arbeiten. Das war in der Periode
der Arbeitslosigkeit, die medizinisch als Eröffnungsperiode
bezeichnet wird. Der Mechanismus arbeitete, angetrieben
durch Pillen und Spritzen, er arbeitete hart. Fünf Wochen zu
früh. Der Begriff »Geburtsschmerz« kam mir nicht in den
Sinn, ich dachte raus, Sonntag, erster Sonntag nach dem ersten
Frühlingsvollmond, ich dachte: Nie wieder. Die Oberhebamme sagte, in zwei Stunden hätten wir es geschafft. Noch zwei
Stunden schaffe ich nicht, dachte ich, raus, lebendig oder tot,
die drei Frauen hatten den Mann auf die Bank gelegt, unter
Aufbietung zu großer Kräfte wahrscheinlich, seine Glieder
schlenkerten, als die Preßwehen begannen, erschien der Professor mit der Oberärztin, dem Narkosearzt und der Oberhebamme. Die Oberhebamme kommandierte, wenn die Wehe
kam, hob sie meinen Kopf, bis das Kinn gegen das Brustbein
stieß, und kommandierte Luft holen, pressen, jeweils dreimal,
beim Pressen atmen rügte sie, ich vernahm nur Befehle und
Rügen und umklammerte meine Knie, so fest ich konnte,
manchmal rutschten die schweißigen Hände ab, das wurde
auch gerügt, die Wehen folgten jetzt dicht aufeinander, der
Krampf löste sich nur noch wenig, in den kurzen Pausen
zitterte ich schüttelfrostartig, die Hebamme sagte vorwärts,

Gott wäre ein Mann, eine Frau hätte sich für das Geschäft was Besseres einfallen lassen, vorwärts, vorwärts, Ungerechtigkeiten müßte man mit Wut begegnen, vorwärts, vorwärts, vorwärts, der Kopf wäre schon etwas zu sehen, schon gut zu sehen, schon ganz deutlich zu sehen, ein schwarzbehaarter Kopf, ich sollte die Zähne zusammenbeißen und auf die Schöpfung scheißen: gut. Bevor die Äthermaske den Schmerzriesen niederschlug, zählte ich ihn aus, eins, zwei, drei, vier, fünf, sechs, sieben, acht, neun. Als ich erwachte, lag ich ausgestreckt im Bett, die Füße übereinandergelegt, mich drückte eine warme, faltenlose Decke, der Professor sagte: »Fertig.« – »Und die Nachgeburt«, sagte ich. »Alles fertig, gratuliere zum Sohn, he, zeigt ihr mal das Kerlchen.« Der Narkosearzt und die Oberärztin gratulierten. Die Oberhebamme sagte: »Ich hab Hunger.« Als der Sohn gebracht wurde, erschrak ich, äußerte jedoch lediglich Verwunderung darüber, daß in so großen Bäuchen so kleine Mengen hergestellt würden, der Professor sagte: »Sechs Pfund und dreihundertfünfundsiebzig Gramm ist nicht klein.« Ich sah Kopf und Gemächt, beides unverhältnismäßig groß: das Wichtigste; dann ziemlich rote, gepuderte Haut, ein angedrücktes Ohr, Augenbrauen, große, zugekniffene Lider, Wimpern, eine Blechmarke mit der eingeprägten Zahl 21, teelöffelgroße Hände, Fingernägel, Nagelmonde, ich fragte: »Ist alles dran?« Da mich Fachleute beobachteten, entschloß ich mich, mit der rechten Zeigefingerkuppe ein Bein anzutasten. Das war faltig an den Oberschenkeln. An den Oberarmen warf die Haut ebenfalls Falten und fiel auch sonst überwiegend leger wie bei Welpen. Ich blieb noch zwei Stunden im Kreißsaal und lauschte dem Gebrüll der Babys, der Sohn keckerte. Er lag in einem Wärmebett im Babyraum. Ich lag allein im kleinen Kreißsaal und wartete auf Essen. Ich hatte einundzwanzig Stunden nicht gegessen. Da die Hebammen beschäftigt waren, mußte ich lange warten. Ich hörte ihre Befehle, Stöhnen, Schreie, Gebrüll, Gekecker, zwei, drei Stunden des Tages vergingen, an dem ich nicht bedauerte, eine Frau zu sein. Mir fiel ein, daß der Mann der Gartennachbar meiner Tante war. Im Sommer pflegte er mit seiner Mutter, der Schwester seiner Mutter und einer Frau namens Maria eine Gartenlaube zu bewohnen. Maria hatte seine Beine, die in schwarzen Manchester gehüllt waren, so auf die Bank geordnet, daß Knie und Fußknöchel sich berührten. Die Hände verschränkte die Schwester der Mutter in der Mulde unterhalb des Brustkorbs. Die Mutter redete auf den gelblich glänzenden Kopf ein. Die Augen des Zimmermanns starrten gegen die Planken des Kreuzes, das den Umsteigebahnhof überdachte. Ich mühte mich zu begreifen, daß ich einen Sohn hatte.

Der Kellner Ivo hatte eine Katze getreten. Er war bei den Touristen des großen und des kleinen Speisesaals sehr beliebt gewesen, nicht weil er der Schönste war. Der Schönste war Mitar. Ivo war der gymnastischste, Frauen beider Speisesäle verfolgten ihn mit verschiedenen Blicken, wenn er sein Tablett equilibrierte, auf den Fingerkuppen der rechten Hand, die linke hielt er wie ein Fechter bei der Quarteinladung. Daß er die Suppe gelegentlich nach dem Hauptgericht servierte, sah man ihm nach. Bis er die schwarze Katze trat. In Konstantinopel gab es viele Katzen und Hunde. Sie waren scheu und unterernährt, vor einer Erdbebenruine sahen Paul und Bele eine Frau, die einen Hund mit Kuchen fütterte, der Hund war ein räudiger Köter, die Frau war aus München, etliche einheimische Männer und Frauen standen um sie herum und betrachteten sie mit neugieriger Verachtung. Viele Hunde umschlichen die Hotels und warteten in sicherer Entfernung auf ihre Wohltäter, das Personal warf Steine nach den Hunden. Katzen waren mutiger, gelegentlich wagte sich sogar eine in das Restaurant. Die schwarze Katze schlich durch den großen Speisesaal, sie konnte gar nicht alles fressen, was ihr zugeworfen wurde, wahrscheinlich hatte sie die reichliche Mahlzeit träge gemacht oder schwerfällig, jedenfalls hatte sie sich nicht rechtzeitig unter einem Tisch in Sicherheit bringen können, als der Kellner nahte und zutrat, absichtlich, Ivo stammte aus Krute. Die wissenschaftliche Lehrerin wußte das von den Herren Diepolt und Wöllner, die durch ihre wohltätigen Beziehungen zum Piccolo über detaillierte Informationen, die Küche und das Personal betreffend, verfügten. Ivo wäre Saisonarbeiter, er hätte die Arbeit erst vor wenigen Tagen begonnen und hätte sich offenbar noch nicht eingewöhnt, deshalb hatte er die Katze getreten, er wird das nicht wieder tun. Die Empörung im großen Speisesaal war allgemein, der kleine Speisesaal solidarisierte sich, Ivo konnte die Windfangtür zur Küche auftreten, wie er wollte, kein Blick folgte ihm.

Die beiden Oberkellner lachten. Man erkannte sie am fehlenden Haar. Dem einen fehlte es vorn, der andere hatte eine gewöhnliche Glatze. Beim Hoteldirektor manifestierte sich die Autorität am Bauch. Er trug ihn vorsichtig durch das Restaurant. Nach der öffentlichen Tischzeit ließ er sich fünf Gänge vom Piccolo servieren. Die Oberkellner servierten nicht. Nur manchmal nahmen sie einen leergegessenen Teller vom Tisch, so wie die meisten Männer Kinderwagen schieben: mit einem quasi abgehängten Arm. Die Oberkellner traten auch die aluminiumbeschlagene Windfangtür zur Küche nicht auf wie die gemeinen Kellner, Ivo trat bis in Höhe des Knaufs, die Oberkellner legten die Hand auf den Knauf und drückten, wer Autorität hat, braucht sich um Publikumsgunst nicht zu bemühen. Auf der Kollaborationstagung galten keine Standesautoritäten. Jeder konnte ein Problem aufwerfen, wenn es interessant war, wen das Problem nicht interessierte, der ging raus und beschäftigte sich anderweitig: Es wurde gearbeitet. An Gegenständen, die vielleicht in hundert Jahren praktische Bedeutung haben werden. Deshalb konnten die Forschungsergebnisse international ausgetauscht werden, wöchentlich, das Institut erhielt photokopiertes Material von ausländischen Forschungszentren und verschickte seine Arbeitsergebnisse in gleicher Form, das Material umfaßte gewöhnlich ein bis zwei Blatt DIN A 5. Manchmal standen nur zwei Sätze auf dem Blatt oder Formeln und Graphen. Die Sätze waren englisch oder russisch abgefaßt. Auf der Kollaborationstagung wurde englisch, schwäbisch, rheinländisch, sächsisch und platt gesprochen. Wenig, man blätterte vorwiegend in Papieren, auf die Rechenmaschinen plots gedruckt hatten: Gebirge, aus Andreaskreuzen errichtet. Manchmal bekreidete jemand eine schwarze Tafel. Am Schluß der Tagung schrieb ein englischer Professor »conclusion« an die Tafel und darunter sechs numerierte Satzstücke mit Formeln sowie einen Graph zweiter Ordnung, die Teilnehmer schrieben die Schularbeiten ab, die Physiker nannten das Schularbeiten, einige Fachausdrücke hatte sich Bele gemerkt, zum Beispiel: one-pion exchange model, missing mass, interacting, hydrogen bubble chamber, two-prong event, equation of mition, chi Quadrat, momentum distributions und scanning. An ihrem ersten Arbeitstag im Institut hatte ihr Paul gezeigt, wie gescannt wird, in einem abgedunkelten Raum; der Projektor zeichnete das Filmbild auf eine weiße Melakartplatte, etwa in Größe der Wasserstoffblasenkammer, in der positive π-Mesonen mit 4 Gev Energie wechselwirkten. Paul suchte das projizierte Bild nach Ereignissen ab, scannen heißt absuchen, ein Ereignis sollte dort stattgefunden haben, wo sich die punktierte Spur in zwei oder mehrere punktierte Spuren teilte, man sprach dann von zwei- oder mehrarmigen Ereignissen. Die hatte Bele messen müssen, acht Monate lang, das reichte. Sie konnte nicht den lieben langen Tag in abgedunkelten, stickigen Räumen versitzen, Triebwagenführer bei der S-Bahn hielt sie für einen erstrebenswerten Beruf. Triebwagenführer oder Kapitän. Für Kapitän war es zu spät. Also Triebwagenführer. Wenn sie davon sprach, bezeichnete Paul ihren Ehrgeiz als schwächlich, bemängelte ihn jedoch nicht, da sie eine Frau war. Er glaubte, daß sie ihn liebte, weil er ein begabter Wissenschaftler war. Sie liebte ihn, weil er ein begabter Liebhaber war, Gedanken hatte sie notfalls selbst. Nachdem Bele in verschiedenen Läden Guslen angesehen hatte, kaufte sie ein Exemplar beim Gemischtwarenbeau. Ungeachtet des Protests, den Paul anmeldete, sobald sie in diesem Laden etwas kaufen wollte, der Krach war nicht aufzuhalten. Er dauerte eine halbe Stunde. Wiebke durfte nicht allein ins Theater gehen, als sie noch Pauls Frau war. De facto, de jure war sie seine Freundin, er hatte die Hochzeit nicht aus Berechnung, sondern aus Terminschwierigkeiten immer wieder verschieben müssen, weil Wiebke auf eine Hochzeitsreise bestand. Seit Paul Wiebke verlassen hatte, hielt sie eine Katze. Mittags ließ die wissenschaftliche Lehrerin die Erdbeeren stehen, weil sie vermutete, daß sie mit nichtgekochtem Wasser gewaschen waren, sie sagte, sie nähme nur gekochte oder mit gekochtem Wasser gewaschene Lebensmittel zu sich. Bele erinnerte sich ähnlicher Äußerungen, die sie in W. gehört hatte, das Schloß war fast ausschließlich von älteren Ehepaaren bewohnt gewesen, ihr war unverständlich, wie man mit siebzig Jahren solche Angst vor dem Tod haben konnte. Je älter sie wurde, desto weniger Angst spürte sie davor. Seitdem sie einen Sohn hatte, spürte sie beinahe gar keine derartige Angst mehr. Auf dem Badefelsen beklagte sich der Rektor in Ruhe bei Paul, daß noch heute viele Leute die Existenz von Vitaminen bezweifelten. Paul erwiderte, Planck hätte gesagt: »Eine neue wissenschaftliche Idee pflegt sich nicht in der Weise durchzusetzen, daß ihre Gegner überzeugt werden und sich als belehrt erklären, sondern vielmehr dadurch, daß die Gegner allmählich aussterben und daß die heranwachsende Generation von vornherein mit der Wahrheit vertraut gemacht wird.« Der Rektor in Ruhe erklärte Paul die Wirkungsweise der Atombombe. Als Paul und Bele abends vom Balkon aus den Himmel nach Sternschnuppen absuchten, erzählte Bele folgende Geschichte:

Ich habe einen Menschen gefressen. Neulich. Als ich eine Katze war.

Ich lag schon eine Weile auf stoffbespannten Oberschenkeln und ließ mir das Fell streicheln. Mein Körper, halb gestreckt, kreuzte sie annähernd rechtwinklig. Durch den Stoff hatte ich fünf Krallen geschlagen, drei der rechten Vorderpfote und je eine der beiden Hinterpfoten. Dabei hatte ich mir eine Kralle verbogen. An Bäumen war mir noch keine schadhaft geworden. Amseln sangen mir Appetit auf die Zunge. Mich gelüstete es zu klettern. Richard hielt mich fest. Manchmal möchte er am liebsten einen Hund aus mir machen. Und mich an die Leine legen. Aber ich lasse mich nicht dressieren: Ich habe Charakter. Denn ich bin eine Katze, eine schwarze Katze. Und ich habe es gern, wenn man mich streichelt. Richard tat es schon eine Weile.

Da kam ein Mensch des Weges, mit einem Campingkarren. Und hielt vor unserer Bank. Er störte sehr, aber Richard bot ihm trotzdem einen Platz an. Der Mensch indessen senkte die starre Deichsel seines mit zwei vollgummibereiften Rädern bestückten Karrens, so daß sich der Fuß der unter dem kastenförmigen Aufbau angebrachten Stütze in den Waldboden bohrte, entlud den Kasten und baute aus Sparren und Segeltuch vor unserer Bank ein Faltpult auf. Dann stellte er sich dahinter, zog etliche mit einer Büroklammer zusammengeheftete Blätter maschinenbeschriebenen Papiers unter dem Skapulier hervor und las: »Männer und Frauen, Menschen, meine Welt.« Und dann sprach er frei. Er sprach: »Was machen Sie denn da?« – »Schmusen«, sagte ich. – »Warum?« – Und da habe ich ihn gefressen. Aber nicht gleich. Vorher lüftete er noch den Hut, nahm ein Buch vom Scheitel, bedeckte den wieder und legte das lederolgebundene Buch auf das Pult. Sodann streifte er die weiten Ärmel des Chormantels zurück, öffnete das Buch und beugte sich darüber, wobei er die Schultern und Arme hob, nun die Unterarme abwinkelte und mit den Händen rechts und links eine die Pultplatte einfassende Leiste klammerte. Und Richard bürstete auf meinem Fell herum. Weil er nicht leiden kann, wenn ich andere Männer fixiere. Einmal hat er mir sogar ein rotes Täschchen umgehängt, mit einem Zettel drin. Darauf stand: »Betreten verboten! Der Besitzer.« So einer ist Richard. Aber er hat schöne Hände. Ich schnurrte auf sie ein Gedicht. Der Mensch hob den Kopf und nestelte an seinem weißen Schulterkragen, der sich vom dunklen Chormantel vorteilhaft abhob. Dann beugte er sich wieder über das Buch, blätterte und blätterte. Sein Hut, breitkrempig mit flachem Kopf, stand uns als schwarze Kreisfläche vor Augen. Schließlich sagte der Mensch: »Was schnurren Sie denn da?« – »Unsinn«, sagte ich. Er sagte: »Sie vertun Ihr Dasein mit Unsinn?« – Und da habe ich ihn gefressen. Aber vorher hat Richard noch mein Fell zerzaust, das gerade vom Friseur getrimmt war und toupiert und gelackt. Und ich habe ihn ins Ohr gebissen. Und der Mensch hat auf sein Faltpult geschlagen und gesagt: »Schämen Sie sich denn gar nicht?« Und ich habe gesagt: »Nein, das machen wir immer.« Da hat er gesagt: »Auch während der Arbeitszeit?« Und da habe ich ihn gefressen. Neulich, als ich das Glück hatte, eine Katze zu sein.

Fahrt nach Dubrovnik. Noch vor Morgengrauen wurde der Bus gestürmt, jede Busfahrt begann mit der Jagd nach günstigen Sitzplätzen und den Klagen der Zuspätgekommenen. Herr Borstmann oder Porstmann kam zu spät und mußte sich auf die Heckbank setzen, auf der Paul und Bele die Anreise von Titograd nach Konstantinopel durchgemacht hatten. Frau Prumps setzte sich zu ihm; wenn Boza nicht ins Mikrophon sprach oder der Fahrer nicht Radio Luxemburg zu Gehör brachte, sangen Frau Prumps und Herr Borstmann oder Porstmann zweistimmig »Auf die Berge will ich steigen«, »Grüß mir Bastei und Königstein« und andere Lieder. Während der Fahrt durch die schwarzen Berge jodelten sie. Der Gesang konnte sich gegen die Hupe nicht durchsetzen. Auf den sichtbehindernden Serpentinen wurde die Hupe als akustischer Scheinwerfer benutzt, Chauffeur Diepolt bat mehrmals um Verringerung des Fahrtempos, dann bedeckte er sein Gesicht mit einer Mütze. Wöllner schilderte ihm die Landschaft: mit Strauchwerk und Ginster bewachsene kahlrinnige Berge, vereinzelte Steinhäuser an den Hängen, sehr kleine Dörfer, zum Teil verfallen oder verlassen, kleine Kirchen, Moscheen, weißgetünchte Minarette mit roten Dächern, Feigenbäume, Wöllner nutzte die günstige Gelegenheit für eine biblische Abschweifung, Zypressen, Agaven, Bunkerreste, winzige, von Mauern eingefaßte Äcker, terrassenförmig angelegt, rote Erde, spärliche Maispflanzen, rotblühende Granatapfelbäume, verkarstete Bergkuppen, nackte, schwarzrinnige Felsen, flimmernde Gesteinsfelder, »bei der Hitze ist man gleich früh kaputt«, sagte Wöllner, Diepolt schlief. Er chauffierte beruflich einen Professor, der nicht an der Universität beschäftigt war, Wöllner, Sekretär des nämlichen Professors, erzählte: »Wir schreiben Bücher.« In Dubrovnik wollten Diepolt und Wöllner für den Professor Hemden und Schuhe einkaufen. Boza schaltete ab und zu das Mikrophon ein, um darauf aufmerksam zu machen, daß ein Dorf, eine alte Burg oder

Trachten zu sehen wären. Die Trachten wurden von montenegrinischen Bergbauern vorbeigetragen, die mit Eseln, Maultieren oder kleinen Pferden von ihren einsamen Dörfern herunterstiegen und bereits nachts aufgebrochen sein mußten, offenbar um irgendeinen Markt zu besuchen. Harte Gesichter, sonnengegerbt, faltig, magere Gestalten. Auf den mit bunten Teppichen behangenen Sätteln ritten einige Frauen im Quersitz. Die Frauen trugen Hosenröcke und kleine schief oder gerade sitzende Käppchen auf dem Kopf, die von großen weißen Tüchern überhängt waren. Mit diesen Tüchern hatten manche das Gesicht unterhalb der Augen verdeckt, oder sie verdeckten es, wenn sich der Bus näherte. Er schaffte sich durch Hupen Platz, bisweilen wollten Esel nicht von der Straßenmitte weichen, meist wurden sie unter Schlägen zur Seite gedrängt. Der Fahrer hielt mehrmals zum Trachtenphotographieren. Unmittelbar vor einer Serpentinenkurve überholte der Bus ein altes Lastauto. Dessen Fahrer gestikulierte wild und nahm die Verfolgung auf. Länger als eine Stunde verfolgte er den Bus vergebens, dann blieb das Auto stehen. Sein Kühler rauchte. Der Buschauffeur flirtete mit Boza. Sie ließ Städte und Dörfer, nach deren Verbleib gewissenhafte Reisegruppenmitglieder sich ab und zu erkundigten, nach Bedarf durch Erdbeben untergehen oder im Meer versinken. Der Fahrer erzählte von Skopje, er hatte in einer Bergungskolonne gearbeitet, manche Verschütteten hätten gedacht: Atomkrieg, der Rektor in Ruhe nutzte die Gelegenheit, Paul in ein Gespräch über die Atombombe zu ziehen, Paul sagte: »Fünfundvierzig Jahre lang haben die Leute nicht gemerkt, daß es eine moderne Physik gibt, dann kam die Bombe, vielleicht müssen wieder fünfundvierzig Jahre vergehen, bis das Klischee, daß Physiker Atombomben bauen, durch ein neues ersetzt wird. Denn es ist ganz sicher, daß wir vor einer Revolution der Physik stehen, vergleichbar der, die durch die Entdeckung des Planckschen Wirkungsquantums ausgelöst wurde und den Sturz der klassischen Physik bedeutete, ich arbeite an dieser Revolution, Herr Rektor, nicht als Verschwörer, sondern legal, Sie brauchen Ihren Mund nicht hinter einer Hand zu verstecken.« Der Rektor in Ruhe ließ enttäuscht seine Hand vom Mund sinken und begann Essen in ihn zu stopfen. Frau Prumps trug ihren Mundvorrat in einer Umhängetasche, Herr Borstmann oder Porstmann hatte den seinen in einem Rucksack verstaut. Eine herrliche Fahrt. Bele hatte noch nie in ihrem Leben einen von den Bäumen zu Gesicht bekommen, die den Friedenstauben die Zweige lieferten, in der Nähe von Bar wuchsen viele solcher Bäume, die jüngeren sollten Hunderte, die älteren über tausend Jahre alt sein. Bele photographierte Paul vor dem ältesten Ölbaum, einem zweihundertjährigen Naturdenkmal. Doppelt so hoch wie Paul. Die Bäume standen in größeren Abständen auf terrassenförmig gestuften Hängen, die Terrassen waren schmal, die jüngeren Stämme barock gefältelt, die älteren löchrig. Das Abreißen der Zweige war nicht gestattet. Bele verließ den Olivenhain unverrichteterdinge. Bald befuhr der Bus die neue Asphaltstraße, die an der Adriaküste entlangführt. Die Autobahn beschäftigte viele Straßenbauarbeiter, sie beseitigten Erdrutsch- und Lawinenschäden und erwiderten das Winken. Bele notierte die Orte Sutomore, Petrovac, Sveti Stefan, Budva, Kotor, Perast, Risan, Hercegnovi, Kupari, Dubac, Hitze macht faul. Genuß auch. Die Adria ansehen ist ein Genuß. Bele genoß von 13 bis 21 alles, was der 24teilige Ostwaldsche Farbkreis bietet, vornehmlich blaugrün, darin Inseln, Landzungen, Felsen. Dubrovnik erweckte schon von weitem Emigrationswünsche. Als Paul und Bele die Stadtmauer besteigen wollten, wurden ihnen Dinar im Werte von einer Mark abgenommen. Sie spazierten die Mark ab, Rundgang bei vierunddreißig Grad im Schatten, auf der Stadtmauer gab es keinen Schatten, ein bleibender Eindruck. Paul wollte den Minčeta-Turm mieten. Der überragte die Stadtwälle, die, auf Felsen errichtet, den Verteidigungsgürtel der Stadt bildeten. Größtenteils im fünfzehnten und sechzehnten Jahrhundert erbaut, mehr wußte Paul nicht, obwohl er schon dreimal in Dubrovnik war. Dubrovnik war für ihn ein Ort, an dem gelegentlich Physik verhandelt wurde. Mit Hilfe des in Berlin gekauften Stadtführers identifizierte Bele einige Bauten: den Rektorenpalast, die im Barockstil erbaute Kathedrale, die St. Blasiuskirche, den Sponzapalast, den Uhrturm, das Fort

Lovrijenac, wenn man verreist, will man sich nicht einfach freuen, man will wissen, wie das heißt worüber man sich freut, Ordnung steigert den Genuß, Paul trieb Physik, um die Ordnung der Materie zu ergründen. Am Eingangstor des Forts Lovrijenac, das Paul und Bele besuchten, war eine lateinische Inschrift eingeschnitten, zu deutsch: »Die Freiheit ist mit allem Gold der Erde nicht aufzuwiegen.« Außerdem besuchten sie das Franziskanerkloster, die Ausstellung abstrakter Gemälde im Sponzapalast, den im romanischen und gotischen Stil erbauten Rektorenpalast und den Marktplatz, der hieß nicht nur so. Viele Verkaufsstände, Verkäufer und Käufer, Obst, Gemüse, Teppiche, Souvenirs, Lärm, bunte Sonnenschirme, rundum schöne alte Häuser, Geschäft in Kunst gefaßt. Der größte Teil der Reisegruppe war tätig, besonders auf der Hauptstraße Stradun, dort waren die Geschäfte so überlaufen, daß der Kunde kein König mehr war, so viele Könige kann selbst Dubrovnik nicht vertun. Obgleich die Stadt geniale Diplomaten hervorgebracht haben soll, die sich sogar gegen die Türken zu behaupten gewußt hätten. Mit Hilfe von Geld. Dubrovnik bezahlte jährlich 12 500 Dukaten, die ihren Bürgern Vorrechte und Schutz im ganzen Osmanenreich zusicherten. Auch mit Spanien regelte Dubrovnik auf diese Weise seine Beziehungen. Nach 1526 erkannte die Republik Dubrovnik dann die Schutzherrschaft der kroatisch-ungarischen Könige auch formal nicht mehr an. Nachdem sich die Stadt auf diese Weise verschiedene Vorrechte im Osten und Westen gesichert hatte, konnte sie ruhig und im allgemeinen ungestört ihre wirtschaftliche und politische Entwicklung fortsetzen und in den Kriegen zwischen Christen und Türken die Neutralität wahren. Das ist nachzulesen im Photoreiseführer »Jugoslavia«, Verlag Jugoslavia, Beograd, Text Bariša Krekić, übersetzt aus dem Serbokroatischen von Jože Zidar, alle Rechte vorbehalten. Obgleich Bele ein Tagebuch schrieb, verwies sie sicherheitshalber auf die Quellen. Jede Untersuchung wäre ein Eingriff in die Realität, hatte sie aus Büchern gelernt, die Paul ihr zu lesen gegeben hatte, bei Gegenständen, mit denen sich die klassische Physik beschäftigte, könnte man die durch den Eingriff entstehenden Veränderungen vernachlässigen, ein

Leben war nach Beles Ansicht weder ein Gegenstand für die klassische Physik noch überhaupt ein Gegenstand, obgleich Paul es gelegentlich dazu machte, indem er es durchrechnete, er wollte am liebsten alles durchrechnen, Bele, Berlin, den Sozialismus, alles. Das Tagebuch einer Hochzeitsreise war kein Rechenbuch. Bele schrieb hinein, was ihr merkenswert erschien, mit Worten, die Worte waren der Eingriff in die Realität, wenn man die durch sie entstandenen Veränderungen vernachlässigen könnte, würde niemand Bücher lesen. Tagebücher sind keine Bücher. Wenn man sie nicht verkauft. Eine Liebesgeschichte verkauft man nicht. Solange man sie nicht hinter sich hat. Als Paul und Bele am Pile-Tor die Statue des heiligen Blasius betrachteten, sagte Paul: »Wir sind zwar nicht mehr in der glücklichen Lage Keplers, dem der Zusammenhang der Welt im Großen durch den Willen ihres Schöpfers gegeben war und der mit der Erkenntnis der Sphärenharmonien schon dicht vor dem Verständnis seines Schöpfungsplanes zu sehen glaubte. Aber die Ahnung eines großen Zusammenhanges, in den wir mit unseren Gedanken doch schließlich immer weiter eindringen können, bleibt auch für uns die treibende Kraft der Forschung.« St. Blasius war der Schutzheilige von Dubrovnik. Er trug die Stadt auf seiner rechten Hand. Als Paul und Bele den Stadthafen besichtigten, erboten sich mehrere Bootsbesitzer, sie nach Lokrum zu fahren. Auf dieser bewaldeten Insel sollte es massenhaft Zikaden geben, Bele hatte noch immer keine erlebt, Paul und Bele aßen Eis in einem Straßencafé. Eis konnte man auch in einem Berliner Straßencafé essen. Sicher war die Wohnungsnot hier größer als in Berlin, in einer schönen Stadt hält man sich jedoch nur ausnahmsweise in Wohnungen auf. Da sich Paul vor den Schlangen ekelte, die sich auf den Hängen und Klippen Konstantinopels sonnten, schlug Bele ihm vor, auf die Insel Mljet überzusiedeln, wo Mungos die Schlangen ausgerottet haben sollen. Paul wollte sich in Dubna ansiedeln. Er erzählte dem Ehepaar Janotte von dem im Bau befindlichen Beschleuniger in Serpuchow, an dem mindestens drei Jahre konkurrenzlos Physik zu machen wäre, bis die Amerikaner einen größeren fertig hätten. Der dann etwa die gleiche Zeit

konkurrenzlos wäre. Bele trank Wasser aus dem großen Ono-
frio-Brunnen, der im fünfzehnten Jahrhundert erbaut worden
und noch heute konkurrenzlos war, Paul aß Zwieback. Seit
vorgestern aß er mittags und abends Zwieback. Gegen sechzehn Uhr begann Konstantin die Mitglieder seiner Reisegruppe zu zählen. Sechzehn Uhr vierzig fuhr der Bus ab. Gegen elf
kam die Reisegruppe im Hotel an. Das Ehepaar Janotte, die
Herren Wöllner und Diepolt sowie Frau Prumps beendeten
den Tag mit einem Besuch der Bar. Die jüngeren Mitglieder
der Reisegruppe begaben sich auf ihre Zimmer. Da Bele, um
gut schlafen zu können, ein ganzes Bett benötigte, erzählte sie
Paul folgende Geschichte:

Wie meine Großmutter starb

Meine Großmutter war kurz von Statur und besaß einen langen Schrank. Drei Meter lang war er. Und zwei Meter hoch und einen Meter tief. Er nahm ein Drittel des Zimmers ein, in dem sie wohnte. In den anderen zwei Dritteln standen Bett, Tisch, Stuhl und Ofen. Aber das bemerkte man erst, nachdem man Platz genommen hatte. Wenn man eintrat, sah man nur den Schrank, ein blaugestrichenes Gehäuse mit messingbeschlagenen Türen und Schubladen. Auch die Großmutter fiel zunächst nicht ins Auge. Selbst wenn sie vor dem Schrank stand. Sie trug sommers wie winters ein blaues Kleid und darüber eine blumenbedruckte Trägerschürze. Wenn Besuch kam, stemmte sie sich mit dem Stock hoch vom Stuhl, hängte den Stock an der Krücke auf am Tisch und strich mit beiden Händen mehrmals über die steif gestärkte Schürze. Dann humpelte sie schnurstracks zum Schrank, wenn sie nicht zufällig schon davor stand, was nicht selten geschah, denn sie hatte oft drin zu tun, sie humpelte also ächzend und auf dem kürzesten Wege zum Schrank, manchmal noch, bevor der Besuch Gelegenheit hatte, ihr die Hand zu geben, öffnete eine von den mit Blumen und Früchten bemalten Türen und holte das Kaffeegeschirr raus.

Nun kam es natürlich vor, daß der Besuch keinen Kaffee wollte. Ich zum Beispiel wollte nie Kaffee. Aber die Großmutter wollte, daß ich wollte. Die Großmutter hatte einen starken Willen. Ich trank also Kaffee. Und sie sah mir zu dabei und freute sich. Und fragte ab und zu, wie er schmeckte. »Gut«, sagte ich ab und zu, und er schmeckte auch gut, nicht nach Kaffee, denn er war ein Geburtstags- oder ein Weihnachtsgeschenk gewesen und mindestens ein halbes Jahr alt. Er schmeckte nach dem buntbemalten Schrank. Nach den wundersamen Gerüchen des Riesenschranks, in dem die Großmutter ihre Vorräte unterbrachte: Wäsche, Strickwolle, Arznei, Geschirr, Kleider, Mehl, Zucker, Salz, Leinöl, Tee. Eine Schublade war ausschließlich mit verschiedenen Tees gefüllt,

die Großmutter selbst gesammelt hatte, früher verfügte sie
über zwei Schubladen voll Tee, seit elf Jahren jedoch war sie
ans Zimmer gefesselt. Auch Beifuß zum Würzen von zehn bis
fünfzehn Weihnachtsgänsen hatte die Großmutter in der ver-
schlossenen Teeschublade vorrätig. Der Schrank hatte fünf
Schubladen und fünf Türen, und die waren alle verschlossen.
Mit verschiedenen Schlüsseln, die Großmutter gebündelt in
der Schürzentasche trug. An der rechten Schrankwand lehnte
eine Setztreppe. Die bestieg die Großmutter, wenn sie in den
oberen Fächern oder hinter dem Aufsatz zu tun hatte. Hinter
dem Aufsatz bewahrte sie ihre Weckgläser auf. Jedes mit
einem Etikett versehen, auf dem das Erntejahr der eingekoch-
ten Früchte verzeichnet war. Da standen dreiundfünfziger
Erdbeeren, fünfundfünfziger Birnen und sechziger Johannis-
beeren. Weil die Großmutter säurehalber keine Johannisbee-
ren mehr aß, hatte sie die sechziger ohne Zucker eingekocht.
Die einundfünfziger, die unmittelbar am Gesims standen,
waren noch gezuckert. Die Großmutter bot ihren Gästen nur
gezuckertes Kompott an. Als ich an jenem verhängnisvollen
Abend bei ihr war, bot sie mir nach dem Kaffee sechsundfünfziger Pflaumenkompott an. Das Glas stand hinter dem letzten
linken Schnörkel des Aufsatzes. Neben einem großen Gurken-
glas. Das hatte die Großmutter schon abgestaubt, als sie noch
Tee und Pilze und Reisig sammeln gehen konnte. Auch an
jenem Abend staubte sie es ab, rückte es zur Seite, um den
Weg zu den Pflaumen freizulegen, schob es dann zurück an
seinen Platz, ächzend, denn es war ein großes Glas, und die
Großmutter hatte kranke Beine und stand auf der Setztreppe,
ich sah sie schon stürzen. Alle ihre Kinder und Enkel weissag-
ten, daß sie sich eines Tages mit der Setztreppe zu Tode
stürzen würde, wenn sie nicht Vernunft annähme. Aber die
Großmutter dachte nicht daran, solche Vernunft anzunehmen.
Sie hatte ihre eigene. Mit der balancierte sie sicher auf ihren
Vorräten. So sicher wie ein Somnambuler auf dem Dach
balanciert. Sie schob also das Fünfliterglas mit den längsge-
schichteten Gurken wieder an seinen Platz, energisch, so daß
die Senfkörner aufwirbelten und die Meerrettichscheiben und
die Silberzwiebeln zwischen den Gewürzstengeln in Bewegung

gerieten, drehte es derart, daß der Mittelpunkt des Etiketts auf der gleichen gedachten Geraden lag wie die Stelle, wo das Glas das Schrankgesims berührte, die Schrift auf dem Etikett war längst verblichen, aber alle Kinder und Enkelkinder wußten, daß da 38 gestanden hatte, die Zahl des Jahres, in dem die Großmutter ihren Garten hatte aufgeben müssen, weil das Gelände zur Vergrößerung des Exerzierplatzes benötigt wurde. In dem Glas schwammen die letzten selbstgeernteten Gurken. Zuerst sollten sie zur Taufe meines Cousins gegessen werden. Die fiel aber aus, weil dessen Vater, ihr Sohn, mein Onkel Richard, eingezogen wurde. Dann wollte meine Großmutter die Gewürzgurken spendieren, wenn Onkel Richard wiederkäme. Er kam aber nicht wieder. Dann sollten sie zu ihrer goldenen Hochzeit auf den Tisch. Mein Großvater starb aber zwei Jahre vorher an Hungerwassersucht. Dann sollten sie meine Hochzeitstafel bereichern. Ich tafelte aber nicht, ich wollte eine schöne Hochzeit und ging nur mit dem Herrn aufs Standesamt und dann auf eine Segeljolle. Mit der segelten wir rund um die Stadt. Dann schrieben wir der Großmutter eine Karte, auf der wir als Verheiratete grüßten. Daraufhin behielt die Großmutter die Gurken ein und teilte mit, sie würden zu ihrem neunzigsten Geburtstag gegessen. Seitdem teilte sie das oft mit. Sie stand jetzt auf der vorletzten Stufe der Setztreppe, ihre Röcke bauschten sich über den schienengestützten gichtigen Beinen, der Rücken war verschnürt von kreuzweise verlaufenden Schürzenbändern, die etwas unterhalb der Taille zu einer steifen Schleife gebunden waren, die Großmutter griff mit dem linken Arm nach der Schleife, um sich zu vergewissern, ob die noch in der Mitte säße, dann griff sie nach dem weißen, nadelgespickten Haarnest, alles in Ordnung, sie drehte sich ein wenig um, auf der vorletzten Stufe der Setztreppe, so weit, daß sie mich sehen konnte, musterte mich über die auf den Wangen aufsitzenden Brillengläser hinweg, lächelte pfiffig, aber nicht viel, und sagte: »Die Gurken essen wir zu meinem fünfundneunzigsten Geburtstag.« Die Großmutter stieg ächzend ab und stellte die Setztreppe wieder an ihren Platz. Dann räumte sie: Geschirr vom Tisch in die Abwaschschüssel, Stock von der Tischplatte an die Stuhllehne, Strickjacke von der Stuhllehne auf den Bettpfosten. Wenn sie räumte, hieß das: basta. Sieben Monate vor ihrem neunzigsten Geburtstag widerrief sie den Öffnungstermin, basta. Zuerst dachte ich, sie hätte es getan, weil sie an die Konserve liebe Erinnerungen knüpfte. Gurkeneinlegen gehörte zu ihren liebsten Erinnerungen. Sie erzählte oft von dieser köstlichen Tätigkeit, sie schilderte, wie die Küche nach billigen Gurken duftete – früher gab es nur billige, schlanke, frische Gurken –, sie wurden in einem Zinkasch gewaschen, mit einer Bürste, mehrmals, dann wurden sie auf dem schönen, großen Tisch sortiert – früher gab es nur schöne große Tische –, darauf ließ sich wirtschaften, du liebe Zeit, Estragon, Basilikum, Pfefferkraut, Silberzwiebeln, Meerrettich, Lorbeerblätter, Senfkörner, Weinessig, abgekochtes Wasser, alles auf dem Tisch, es war eine Lust zu leben. Leben hieß für die Großmutter: Vorräte anlegen. Da die Höhe ihrer Rente und der Umstand, daß sie nur noch für sich zu sorgen brauchte, ihre Lebensintensität beschränkten und nach der Opferung des Gurkenglases womöglich die Erinnerung an eine köstliche, vielleicht sogar die köstlichste Tätigkeit schwand, erschien mir der Widerruf irgendwie verständlich oder doch jedenfalls erklärbar. Die Großmutter hatte das Zimmer vor elf Jahren zum letztenmal verlassen, sie lebte, indem sie sich erinnerte, so etwa erklärte ich mir ihr merkwürdiges Verhalten. Natürlich war es für ihre Kinder und Enkelkinder nicht angenehm, sich immer und immer wieder die gleichen Geschichten erzählen zu lassen, die Gurkeneinlegegeschichte hatte ich mindestens schon drei dutzendmal anhören müssen, aber an jenem Abend begriff ich, daß nicht nur der Anstand oder die Achtung vor dem Alter erforderten, sich mit Langmut zu wappnen. Ich wappnete mich also, aß sechsundfünfziger Pflaumenkompott, ließ mir den angeschlagenen Kaffeekannendeckel zeigen und hörte mir an, wie es zu dem Unfall gekommen war. Die Großmutter hatte die Kanne mitsamt den übrigen Serviceteilen in Seidenpapier eingewickelt und in einen Wäschekorb, der mit Holzwolle ausgepolstert war, verstaut, Während des Umzugs behielt sie den Geschirrkorb ständig im Auge. Als sie das Stein- und Porzellanzeug in der neuen Wohnung auspackte, fand sie es wohlbehalten. Und räumte es in die hinter der mittleren Tür liegenden Fächer des großen blauen Schrankes, wo es auch heute noch seinen Platz hatte. Als die Arbeit beinahe geschafft war, verwechselte sie den Kannendeckel mit dem Zuckerdosendeckel, der Kannendeckel fiel in die Zuckerdose und verlor dabei ein daumennagelgroßes Stück, »ich könnte mich schwarz ärgern«, sagte die Großmutter, »ich denk auch noch, der Deckel ist so klein, aber da war es auch schon passiert, ich altes dummes Mensch«. Sie ist wütend, daß sie so ein altes dummes Mensch ist, sie schlägt die gichtige Hand auf den Tisch, sie schüttelt den kleinen verrunzelten Kopf, den das Gewicht der großen Brille nach vorn zu ziehen scheint. Ich versuchte die Großmutter zu trösten, indem ich ihr versicherte, daß das Pflaumenkompott vorzüglich schmeckte, und sagte: »Lange her.« – »Du verwechselst was. Den Kannendeckel hab ich nicht beim ersten, sondern beim zweiten Umzug zerkracht.« – »Ich weiß.« – »Na also.« – »Und wann fand der zweite Umzug statt? Vor fünfzig Jahren? Vor vierzig Jahren?« – Die Großmutter protestierte. Sie stellte sich vor den wunderbunten Schrank und rechnete mir vor, daß der zweite Umzug vor siebenundzwanzig Jahren stattgefunden hatte. Ihr Kleid war von ähnlich grünblauer Farbe wie der Grundanstrich des Schrankes, auch etwas verblichen wie dieser, seitdem sie ans Zimmer gefesselt war, trug sie sommers und winters dasselbe Kleid. Die Jahreszeiten hingen im Schrank. Im Frühling bürstete die Großmutter den Sommermantel aus und hängte ihn griffbereit. Im Herbst stopfte sie die Löcher, die die Motten inzwischen in den Wintermantel gefressen hatten, und schüttelte den Pfeffer aus dem Pelzkragen. Als ich sie das letztemal besuchte, war Herbst. Der Wintermantel hing am Schrank. Die Großmutter nahm ihn ab vom Bügel, holte Stopfzeug und machte sich an die Arbeit. Ich sah ihr zu und aß sechsundfünfziger Pflaumenkompott. Sie stichelte, schimpfte auf die Motten und lamentierte über den verdammten Mantel, mit dem sie sich Jahr für Jahr abplagen müßte. – »Du mußt nicht.« – »Ich muß.« – »Wozu brauchst du einen Mantel?« – »Wozu, wozu, wenn ich mal ins Dorf geh, frag nicht so dumm.« – »Du warst doch schon elf Jahre nicht im Dorf.«

–»Aber wenn ich mal geh, brauch ich einen Mantel.« – Mir tat die Großmutter leid. Ich wollte nicht, daß sie sich länger sinnlos abmühte. Ich überlegte. Da ich wußte, daß sie ihren Enkeln schwer etwas abschlagen konnte, fragte ich schließlich, ob sie mir nicht den Pelzkragen ihres Wintermantels schenken würde. Er stäche mir schon von Kindheit an in die Augen, und ich würde mir gern eine Pelzmütze daraus nähen, so eine große, wie sie gegenwärtig modern wären. Wenn die Großmutter mich fragen würde, was ich mir zu Weihnachten wünschte, würde ich sagen, eine Mütze aus diesem Bärenfellkragen. Die Großmutter fragte mich nicht. Sie sagte überhaupt nicht mehr viel an diesem Abend. Aber das fiel mir nicht sonderlich auf, manchmal sprach sie tagelang nicht, sie hatte einen schwierigen Charakter. Einen sehr schwierigen Charakter hatte sie und eine eiserne Gesundheit. Sie strickte für die gesamte Verwandtschaft Socken und Pulswärmer und Bettschuhe und konnte zum Abendbrot ein Pfund Sülze essen und trank jeden Sonntag einen Korn. Nur gehen konnte sie kaum noch. Schon die wenigen Schritte zum Schrank fielen ihr schwer. Daß sie die Setztreppe fast ohne Mühe bestieg, war freilich merkwürdig. Nachdem ich meinen Weihnachtswunsch geäußert hatte, bestieg sie die Setztreppe wieder. Ohne ersichtlichen Grund übrigens. Keine Schranktür war geöffnet. Die Weckgläser waren abgestaubt. Ich hatte Kaffee getrunken. Auf der vorletzten Stufe drehte sie sich um, die Setztreppe schwankte, aber die Großmutter störte das nicht, sie drehte die in Walkfilzpantoffeln steckenden Füße auf der vorletzten Stufe um hundertachtzig Grad und setzte sich auf die letzte Stufe. Und lehnte den Rücken an den hohen Aufsatz des langen wunderbunten Schrankes, so daß der Kopf auf das kartuscheartige Zierwerk zu liegen kam. Die gedrechselten Schnörkel, blau und rot gestrichen, rahmten das Maskaron. Als ich vorsichtig fragte, ob die Großmutter sich nicht lieber auf einen Stuhl setzen wollte, und ihr meine Hilfe beim Abstieg anbot, drohte sie mir mit der Faust, ich durfte mich dem Schrank nicht einmal nähern. Ich stand ratlos vor dem schürzenbewehrten Mittelrisalit des Schrankes.
Die Großmutter saß vielleicht eine halbe Stunde auf der

Leiter. Als der Regulator sechs schlug, strich sie sich mit beiden Händen mehrmals über die blumenbedruckte Schürze, um sechs war Abendbrotzeit, sie versuchte sich zu erheben. Vergebens. Sie versuchte es wieder und wieder. Vergebens. Schließlich gestattete sie mir, daß ich sie herunterhob. Sie war kurz von Statur, aber schwer. Ich setzte sie auf den Stuhl und fragte sie, ob ich ihr eine Einreibung aus dem Schrank holen sollte oder etwas zu essen. Sie verlangte den Wintermantel. Ich reichte ihr Stopfgarn, Nadel, Schere und Wintermantel. Sie ergriff die Schere, trennte den Pelzkragen ab und schenkte ihn mir. Dann begab sie sich zu Bett. Ich nahm den nächsten Zug.

Zwei Tage später war meine Großmutter tot.

Paul arbeitete tagsüber in seinem Zimmer. Abends erzählte ihm Bele folgende Geschichte:

Wie meine Großmutter lebte

Im ersten Jahr nach dem Tod erzählten sich die Verwandten, wenn sie anläßlich eines Geburts- oder Feiertags zusammenkamen, verschiedene Geschichten über die Weisheit und Güte der Großmutter, ein halbes Dutzend insgesamt. Man strickte dabei, aß, trank, es vergingen keine sechs Monate, da war die Großmutter ein Topf voll Asche. Der stand eingegraben auf dem Friedhof und wurde regelmäßig bepflanzt und begossen. Um Ungerechtigkeiten, wie sie sich etwa bei der Verteilung des Nachlasses ereignet hatten, zu vermeiden, wechselten sich die Erben bei den Grabpflegearbeiten wöchentlich ab. Jedesmal, wenn Anton an der Reihe war, verdorrten die Blumen. Die Verwandtschaft unterrichtete ihre Mitglieder zunächst nur davon. Als Anton, einer der drei Söhne der Großmutter, mein Onkel, jedoch am Totensonntag beim Kaffeetrinken etwas erzählte, das dem halben Dutzend auch nicht entfernt entsprach, wurde ihm die Grabpflegelizenz entzogen. Anton erzählte mit ähnlichen Worten folgende Geschichte:
Meine Großmutter, seine Mutter, hatte eine Vorliebe für billige Gerichte. Dazu gehörten die meisten Kartoffelgerichte, neben Eintöpfen und Klößen vorzugsweise Puffer, von ihr »Klitscher« genannt, Rauchemat und Getzen. Die Großmut-

ter buk zwei Arten von Getzen: Heidelbeergetzen und Buttermilchgetzen. Anton aß am liebsten Buttermilchgetzen. Der
wurde in einer rechteckigen schwarzen Blechpfanne gebak-
ken; an Tagen, da der Großvater frei oder Spätdienst hatte.
Mein Großvater, Antons Vater, arbeitete damals als Weichen-
steller. Die übrige Zeit, sechs Stunden Schlaf abgerechnet,
verbrachte er im Wald oder auf dem Holzplatz. Wenn die
Großmutter sagte: »Morgen gibt es Getzen«, verfügte sich der
Großvater auf den hinter dem Haus gelegenen Holzplatz.
Dort hackten und lagerten die Hausbewohner ihre Holzvorrä-
te. Wurzelstock- und Scheitholz wurde in Mieten, Reisig in
Schobern gelagert. Je höher die Mieten und Schober, desto
größer das Ansehen. Die Großmutter hielt auf Ansehen. Bis
zu ihrer Erkrankung, elf Jahre vor ihrem Tode, besaß sie nie
weniger als drei Stockholz- und zwei Scheitholzmieten,
mannshoch, alle mit steinbeschwerter Dachpappe abgedeckt,
und etliche Reisigschober. Einen Schober mußte der Großvater am Getzentag hacken und zu Bündeln portionieren. Als
Junge mußte Anton bündeln helfen und, war der Schober
gehackt, die abgefallenen Fichtennadeln mit einem Rutenbe-
sen zusammenkehren und in eine Metze füllen. Der Holzplatz
war stets gekehrt. Damals, vor dem ersten Weltkrieg, aber
auch später, immer am Getzentag stand die Großmutter zeitig
auf und kaufte Buttermilch ein – wer zuerst kam, hatte größere Chancen, einige von den obenauf schwimmenden Butter-
klümpchen zu bekommen. Im Laufe des Vormittags dann
holte der Großvater einen Eimer voll große Kartoffeln aus
dem Keller. Die schälte die Großmutter und rieb sie auf dem
Reibeisen. Anton erinnerte sich noch genau, daß sich die
Wölbungen vom Reibeisen unter den Händen der Großmutter
schnell abplatteten, der Großvater behauptete, sie wäre ein
»Umbringer«. »Imbränger«, sagte Anton, Großvaters Dialekt
nachahmend, seine Kaffeegäste warfen sich mit den Rücken
gegen die Stuhllehnen und lachten. Anton strich sich den
kahlen Schädel und schilderte den angedeuteten Vorgang
genauer, er beschrieb, mit welcher Intensität die Großmutter
das Unterkinn herausdrückte und daß er am liebsten ganz
dicht neben der großen, außen blau, innen weiß emaillierten

Schüssel gesessen hätte, um zuzusehen, wie eimerweis Kartoffeln zu Mus gerieben wurden. Das Mus schüttete die Großmutter auf ein feines Sieb. Darin verlor es Wasser, das in einer Schüssel aufgefangen wurde. Die Schüssel durfte nicht gekippt oder sonstwie bewegt werden, damit sich das Kartoffelmehl ablagern konnte. Nach einer Weile wurde das braune Wasser abgegossen, in einen emaillierten Krug, die Großmutter hatte verschiedene Krüge auf dem Abwaschtisch stehen, aus denen sie abwechselnd trank, auch Bohnenwasser, übriggebliebenen Zichorien-Kaffee oder Teeneigen schüttete sie ihr Lebtag nicht weg, bevor die Flüssigkeiten ihren Magen passiert hatten. Nun durfte Anton, als er noch ein Junge war, frisches Wasser in die Schüssel schütten und den grauen Kartoffelmehlgrund mit den Fingern aufbohren. Diese angenehme Beschäftigung wiederholte er etwa in Stundenabständen so lange, bis das Mehl ausgewaschen, weiß war und auf der links im Herd eingebauten Wasserpfanne getrocknet werden konnte. Das dauerte Tage. Getzenbacken selbst dauerte jedoch nur Stunden. Während nämlich die Großmutter Buttermilch unter das verdickte Mus rührte und es mit Salz und Kümmel würzte, saß der Großvater bereits vor der Herdtür und schob Reisig in die Feuerung. Der gemauerte Herd war groß und die Küche schmal, zwischen ihm und dem Tisch maß der Abstand nicht viel mehr als einen Meter, in diesem Gang stand eingekeilt die Großmutter mit ihrem Neigenbauch und war schon achtern halb geröstet, bevor die Herdplatten noch die richtige Farbe hatten. Wenn man einen Getzen in die Röhre schieben will, müssen die vorderen Herdplatten rot glühen. Großvater putzte deshalb vor jedem Getzenbacken den Ofen aus. Jetzt saß er auf einer Fußbank vor dem Feuerloch, neben sich einen großen Spankorb mit Reisigbündeln, die er jeweils öffnen und halbieren mußte, ehe er sie feuerte, er kam nicht mehr dazu, die Herdtür zu schließen, erst sperrte das Reisig aus dem Loch, wenn er nachschieben konnte, war es fast schon verbrannt, der Großvater schob und schob, die Großmutter schwitzte und riß das Fenster auf. Die Küche hatte zwei Fenster, ein großes auf die Straße hinaus und ein kleines rundes, eine Art Bullauge, von dem aus man den

Holzplatz sehen konnte. Wenn die Großmutter Kartoffeln rieb, konnte sie den Holzplatz übersehen. Bereitete sie daraus Getzen, konnte sie beobachten, wie der zu Bündeln portionierte Reisigschober dahinschwand. Das wurde Anton von allen Anwesenden entsprechenden Alters einhellig bestätigt, sie begannen sogleich, sich gegenseitig Einzelheiten aus Großmutters Küche zu schildern, das hölzerne Löffelbrett, das Sofa mit den Häkeldeckchen auf der hohen Lehne, die rotgestickten Sprüche auf den Wandschonern, man überbot einander in der Genauigkeit der Schilderung, der Kaffee wurde kalt in den Tassen, Anton hatte Mühe, wieder zu Wort zu kommen. Er ergänzte das Bild der Küche dadurch, daß er ihre Größe mit der der Großmutter ins Verhältnis setzte. Ferner erinnerte er an die bedauerliche Tatsache, daß die Großmutter, seitdem sie krankheitshalber kein Reisig mehr sammeln konnte – der Großvater war inzwischen längst gestorben –, auch keinen Getzen mehr buk. Mit teuren Briketts war kein billiges Gericht zu schaffen. An dieses elegische Moment seiner Geschichte schloß Anton sofort eine intensive Schilderung vom Vorgang des Reisigfeuerns an, die bot ihm Gelegenheit, seine Fähigkeit, Geräusche nachzuahmen, zur Geltung zu bringen. Wir hörten das Fichtenreisig im Herd zischen, knistern, knakken, wir hörten so lange kleine und große Verpuffungsexplosionen, bis wir den Harzduft zu riechen und die Großmutter in der Küche zu sehen vermeinten. Sie paßte auf, daß die Speckwürfel in der rechteckigen schwarzen Pfanne, die sie inzwischen in die Röhre geschoben hatte, nicht zu stark ausbrieten und die Zwiebelringe nicht zu braun wurden. Als die Würfel zu glasigen Grieben gediehen und die vorderen Ofenplatten hellrot waren, goß die Großmutter Leinöl zu und füllte die Pfanne mit Hilfe einer Aluminiumkelle. Die Maße der Pfanne entsprachen der Größe der Ofenröhre. Der hellgraue Teig war etwa drei Zentimeter dick, auf den Oberflächenrändern standen Leinölpfützen. In der Zeit, da der Großvater mit dem leeren Korb zwei Treppen hinunter und hinüber zum Holzplatz rannte, um neues Ofenfutter zu holen, feuerte die Großmutter. Der ständige Temperaturwechsel und die Zugluft in der Küche bewirkten, daß der Großvater regelmäßig, manchmal bereits während des Getzenbackens, zu niesen begann und bald darauf seinen Schnupfen bekam. In diesem Zustand benutzte er abwechselnd zwei quadratmetergroße orange-gelbe Satintaschentücher, deren schwarzweißer orientalischer Blattmusterdruck noch stellenweise erkennbar war. Mit einem Taschentuch wischte er ständig Nase und Augen, das andere hing an der Herdstange zum Trocknen. Bisweilen dauerte so ein Schnupfen von einem Getzenbacken bis zum anderen. Die Großmutter war auch immer sehr ungehalten darüber. In den zwanziger Jahren pachtete sie einen Garten und riet dem Großvater, den Schnupfen mit Äpfeln zu bekämpfen. Aber der Großvater verschmähte Äpfel, er nahm sich vor dem Essen das Gebiß raus. Die Großmutter aß einen Apfel erst, wenn er einen Fleck hatte. Erd- oder Himbeeren, die sie in runden Henkelkörben aus dem Garten schleppte, durften überhaupt nicht frisch, sondern höchstens eingekocht verzehrt werden. Zu Buttermilchgetzen reichte sie kein Kompott, um sich den Genuß an dem Gericht nicht zu verderben. O köstlicher Genuß, sich etwas nicht zu leisten! Großmutter ging mit Großvater auch noch, als die Kinder bereits verheiratet waren, während seines Jahresurlaubs täglich in den Wald, Wurzelstöcke ausgraben oder Reisig sammeln oder Pilze suchen. Sie rissen viel Schuhwerk und Kleidung ab im Urlaub. Die Großmutter hatte bis ins hohe Alter die Fähigkeit, stundenlang mit durchgedrückten Knien in gebückter Stellung zu arbeiten. Anton behauptete, daß sie sich nur in dieser Stellung, den Kopf dicht über der Erde, die Hände in ihr, wirklich wohl fühlte. Er war einundzwanzig Jahre jünger als die Großmutter. Ich war Anton mehr als dreißig Jahre überlegen. Ich hörte ihm mit großem Vergnügen zu. Ich, die Jüngste am Tisch. Das schien ihn zu beflügeln, er sagte sogar verschiedene Namen von Einreibungen auf, mit denen die Großmutter, nachdem die Waldarbeit beendet war, ihre gichtigen Glieder einrieb. Füße und Knie und Hände rieb sie ein, schimpfte dabei, daß die Einreibung nur stinke und nicht hülfe und rechnete in Fudern. Ein Fuder – eine Pfanne Getzen. Wenn der Großvater das letzte Reisigbündel und die dazugehörigen, in der Metze gesammelten Nadeln verfeuert hatte, zog die Großmütter die Blechpfanne mit dicken Topflappen aus der Röhre, stach mit einem Holzspan verschiedenenorts in das inzwischen an der Oberfläche durch öfteres Hin- und Herschieben gelbbraun, an den Rändern schwärzlich gebackene Gericht, betrachtete den Span und stellte die hitzeverbogene Pfanne schließlich, war der Span trocken geblieben, auf den Tisch. Während die Pfanne auskühlte, kehrte die Großmutter provisorisch die vernadelte Küche und den Korridor, setzte große schwarzeiserne Wassertöpfe auf den Ofen und stellte Eimer und Schrubber bereit. Der Großvater wechselte sein Hemd. Anton aber saß damals bereits mit Clemens und Richard und den beiden Schwestern am Tisch und wartete, bis seine Mutter, meine Großmutter, die gelbbraune Kruste mit dem Messer letzte, kreuz und quer, und köstlich duftende rechteckige Stücke aus der Pfanne heraus auf die Teller hob. Alle hätten sich sogleich mit Gabeln über das innen zähe, an den Krusten knusprige Gebäck hergemacht, pustend, schmatzend, behauptete Anton, am meisten aber hätte es zweifellos der Großmutter geschmeckt.

Während seiner Erzählung hatte keiner gestrickt, gegessen oder getrunken. Die Erben hatten verschiedentlich mehr oder weniger laut gelacht. Nun erinnerten sie sich wieder der verdorrten Blumen, schenkten Kaffee ein und verbrachten den Rest des Totensonntags gemäß.

24. 6.

Paul arbeitete tagsüber in seinem Zimmer. Gegen dreiundzwanzig Uhr weckte er Bele. Später erzählte sie ihm folgende Geschichte:

Wie meine Großmutter glaubte

Ich habe die Bibel geerbt. Sie lag in den letzten Lebensjahren der Großmutter auf ihrem, vorher in ihrem Schrank. Das schwere Buch, in braunschwarzes Leder gebunden, soll ein Hochzeitsgeschenk gewesen sein. Gelesen hat die Großmutter, soviel ich weiß, nie darin. Sie las nicht mal Zeitung. Auch Radio hörte sie selten. Was sie wissen wollte, erfuhr sie von ihrem Sohn Clemens. Der war auf die Schule gegangen: eine Autorität. Clemens wohnte im selben Haus, er besuchte sie wöchentlich. Laura, ihre Schwester, meine Großtante, wohnte auch im Städtchen und besuchte sie täglich. Seitdem die Großmutter nicht mehr Treppen steigen konnte, kaufte Laura für sie ein. Meist das Falsche. Oder zu viel, oder zu knapp. Die Großmutter wog jeden Posten auf einer Tafelwaage nach, die auf dem Schrank neben der Bibel ihren Platz hatte. Zwei, drei Gramm Mehl oder Zucker zu wenig: das ärgerte die Großmutter. Zwei, drei Gramm zu viel: das machte sie mißtrauisch. Stimmte das Gewicht, nahm sie sich vor, die Waage eichen zu lassen. Wenn Laura nach der Arbeit die gefüllte Basttasche brachte, hatte die Großmutter die Tafelwaage bereits vom Schrank herunter auf den Tisch gehoben, dazu das hölzerne Gewichtetui. Dem Waagegestell, aus Gußeisen gefertigt und weiß gestrichen, war eine goldene Fünf eingeprägt, die angab, daß die Waage nur Lasten bis zu fünf Kilogramm wiegen konnte. Sie selbst wog etwas über fünfzehn Kilo. Während die Großmutter die Posten aus der Tasche packte, lautlos zählend, wobei sie die Lippen bewegte, und mit den Angaben auf dem Kassenzettel verglich, schilderte Laura beispielsweise die Arbeitsweise der neuen, auf der Messe ausgestellten Zusatzgeräte der Kometküchenmaschine oder die feierliche Inbetriebnahme des Pumpspeicherwerks Hohenwarte oder die mutmaßlichen Gründe für den Ausfall der Funkverbindung mit der letzten Mondsonde. Laura hörte regelmäßig die Radiosendung aus Wissenschaft und Technik und hatte sich, ungeachtet ihres hohen Alters, noch für die Arbeit an einem Kaffeeautomaten qualifiziert. Dabei kam ihr der Umstand zustatten, daß sie sehr klein war. Viel kleiner als ihre Schwester und halb so schwer, Großmutter hielt wenig von Leuten, die nicht ordentlich essen konnten. Clemens konnte essen, zum Kaffee ein Blech Kartoffelkuchen, warm, er hatte erzählt, die Butter würde neuerdings aus Kohlen gemacht. »Es ist doch großartig«, hatte die Großmutter daraufhin gesagt, was soviel hieß wie: eine Schande. Trotzdem konnte sich Laura das Singen nicht abgewöhnen. Sie sang mit leiser, tremolierender Stimme, den eingefallenen Mund kaum geöffnet, den dürren Kopf ein wenig der linken Schulter zugeneigt, die runzligen Lider faßten die Iris nur knapp, die buschigen Brauen waren stets angehoben, die Ohrläppchen wurden von roten Plastikklipps verdeckt. Eigentlich war Laura nicht mal zum Einkaufen zu gebrauchen: sie verlor Kassenzettel. Großmutter sammelte alle Kassenzettel, nach dem Datum des Einkaufs monatsweise geordnet, in Zigarrenkisten, die ihr Clemens schenkte. Die Zigarrenkisten bewahrte sie unter dem Bett auf. Sie vermutete, daß die Schwester ihre Kassenzettel wegwarf. Laura wußte nicht genau, was ein Pfund Zucker kostet. Sie las den Preis ab von der Tüte: Sie glaubte alles. Die Großmutter kannte die Preise, der konnte man nichts erzählen. Hatte sie die papierumhüllten Posten – alle eßbaren, käuflich erworbenen Waren nannte sie Posten – neben der Waage mit dem goldgeprägten Gestell, einer Messingtafel und einer weißgestrichenen Eisentafel ausgebreitet, legte sie den kleinsten vorsichtig auf die Messingtafel. Dann öffnete sie das Etui, entnahm ihm, den Angaben entsprechend, die sie auf dem Bestellzettel handschriftlich niedergelegt hatte, meist mehrere der genau in das Holz eingepaßten Messinggewichte und schüttelte die in der hohlen Hand, wie man Würfel schüttelt, bevor sie die Gewichte, begleitet von einem jähen Vorschnellen des Kopfes, auf die gestrichene Eisentafel fallen ließ. Die Gewichte glänzten wie geputzt, besonders die Grammgewichte. Manchmal wog die Großmutter auch das Einwickelpapier extra. Sie wog am liebsten kleine Posten. Die größeren Gewichte konnte sie nicht auf die Eisenwaage fallen lassen. Das verkürzte die Dauer des Austarierens. Die Großmutter beobachtete, das

Kinn vorgestreckt, durch das untere Drittel der Brillengläser gespannt das Spiel der Zungen. Wenn die an der Messingtafel angebrachte Zunge höher stehenblieb, nickte die Großmutter und sagte: »Es ist doch großartig.« Sie sagte »grußartsch«. Laura bauschte derweil ihr Haar vor dem Spiegel, das, einer weißen Flinderhaube gleich, ihre Kopfgröße optisch verdoppelte. Dabei sang sie leise vor sich hin. Sie kannte die neuesten Schlager. Ihr gefiel immer das Neueste. Sie las Modenzeitungen. Zu Hause. Da die Großmutter keine Bücher besaß und keine Zeitung hielt, holte sich Laura manchmal die Bibel vom Schrank. Obgleich die Bibel nach Ansicht der Großmutter kein Buch war, sondern Hausrat, ärgerte sie sich, daß Laura sich mit Lesen die Augen ruinierte. Die Großmutter vertrat eine gesunde Lebensweise und vermachte das schwere finstere Buch in ihrem Testament nicht Laura, sondern mir. Von mir wußte sie, daß ich gern und viel aß. Wenn ich sie besuchte, schnitt sie mir von dem Kartoffelkuchen, den sie regelmäßig für Clemens buk, einen Streifen ab. Dazu reichte sie Zichorienkaffee. Laura trank nur Automatenkaffee. Der Automat, Eigentum der Mitropa, stand in der Vorhalle des Bahnhofs, der etwa eine halbe Wegstunde von Großmutters Wohnung entfernt lag. Es hatte zwei Wochen gedauert, bis sich die zweiundsiebzigjährige Laura die für ihre Tätigkeit nötigen Fertigkeiten erworben hatte. Der schwierigste Teil ihrer Tätigkeit war der Schichtwechsel. Ihn zu üben hatte mehr als zwei Drittel der gesamten Probezeit in Anspruch genommen. Jetzt beherrschte sie ihn derart, daß selbst Stammkunden nichts bemerken. Sooft sie das behauptete, sagte Großmutter: »Ich glaub's gleich«, was soviel hieß wie: »Mir kann man nichts erzählen.« Wenn die Großmutter nachwog, hörte und sagte sie nichts. Dem Auswiegen folgte das Nachrechnen. Differierte die Rechnung zu ihren Ungunsten, strich sich die Großmutter mehrmals mit beiden Händen über die blumenbedruckte Trägerschürze und ärgerte sich. Differierte die Rechnung zu ihren Gunsten, wurde sie mißtrauisch. Stimmte die Rechnung, glaubte die Großmutter, sie hätte sich verrechnet. Sie vermutete, daß die Schwester ihre Kassenzettel, ohne sie nachgerechnet zu haben, wegwarf. Laura behauptete sogar, die Verkäuferinnen im Konsum liebten sie. Die Großmutter hatte bis Ende der vierziger Jahre mit der Basttasche im Konsum eingekauft. Dann lähmten Gicht und Rheuma ihre Beine, aber für dumm ließ sie sich nicht verkaufen, am allerwenigsten von Verkäuferinnen. »Spitzbubengesellschaft« nannte sie die. Clemens, Großmutters liebster Sohn, seitdem Richard gefallen war, wußte, warum er Läden mied. Den Clemens hatte sie zwei Jahre auf die Realschule geschickt. Er war Buchhalter mit Pension geworden, dreiunddreißig Hauptbuchhalter, fünfundvierzig Fahrstuhlführer, später wieder Buchhalter. Ohne Pension. Das Haus, in dem die Großmutter ein Zimmer bewohnte, gehörte ihm. Miete und Wassergeld bezahlte die Großmutter jeweils am ersten jeden Monats. Seitdem Laura sie abends besuchte, verlangte Clemens etwas mehr Wassergeld. Clemens benutzte Lauras Automaten nicht. Trotzdem wollte sie der Großmutter einreden, ihr Kaffee wäre stets heiß und frisch, auf Ehrenwort verriet mir die Großtante, daß sie ihn in einer Fünfliterkanne brühte, rechts auf der elektrischen Kochplatte stünde der Wassertopf, an der linken Innenwand des von einem Neonstab erleuchteten Automaten neben dem Wasserhahn wäre ein kleines Brett angebracht, auf dem das Glas mit dem gemahlenen Kaffee seinen Platz hätte, darunter, an einem Haken, hinge ein Handtuch, im Winter stellte die Mitropa einen elektrisch geheizten Fußsack zur Verfügung, in der übrigen Jahreszeit eine kleine gepolsterte Fußbank, der Stuhl, ebenfalls schaumgummigepolstert, wäre mit einer Rückenlehne ausgestattet, viel Platz hätte Laura nicht an ihrem Arbeitsplatz, zwei Kubikmeter etwa, aber sie wäre zufrieden. Sie war mit allem zufrieden, mit ihrem Alter, mit ihrer verhutzelten Statur, sogar damit, daß Clemens seine Pension verloren hatte. Clemens sprach nicht mit Laura. Wenn sie sich auf der Straße begegneten, wechselte er zum gegenüberliegenden Fußweg hinüber. Die Großmutter vererbte ihm ihre Ersparnisse. Von ihrer Rente, einhundertvierundzwanzig Mark im Monat, hatte sie bis zu ihrem Tode, zweitausenddreihundertsechzig Mark gespart. Laura verdiente und bezog Rente und verfügte trotzdem über keine Ersparnisse. Die Großmutter fragte sich, wozu sie eigentlich arbeitete. In jüngeren Jahren war die Großmutter im Gegensatz zu Laura arbeiten gegangen. Über zwanzig Jahre lang. In eine Spinnerei. In der würde jetzt Dederonfeinseide hergestellt, behauptete Laura. »Ich glaub's gleich«, sagte die Großmutter. Laura konnte die Großmutter gut leiden. Sie konnte alle leiden. Am meisten die, von denen sie etwas erfuhr. Fast immer, wenn ein Fünfzigpfennigstück durch den Schlitz in den automatisch zählenden Geldkasten fiel und über dem Kocher eine rote Lampe aufleuchtete, für Tante Laura das Signal, sofort 0,1 Liter Kaffee in ein mit Eichstrich versehenes hitzebeständiges Glasmaß zu füllen und den daran befindlichen Hahn zu öffnen, damit der Kaffee dem Kunden zufließen konnte, erfuhr Laura etwas. Sie liebte ihre Kunden. Obgleich sie sie nur hören konnte. Sie hörte, wo es Apfelsinen gab, wieviel Tore ASK Vorwärts im letzten Spiel geschossen hatte, wann welcher Betriebsleiter aus welchen Gründen abgesetzt worden war, sie kannte die neuesten politischen Witze. Jeden Abend erzählte sie der Großmutter das Neueste, Modernste, Schönste. Und jeden Abend sagte die Großmutter darauf: »Es ist doch großartig.« Nur die Neuigkeiten des Sohnes und Hausbesitzers Clemens beantwortete sie mit »Aha«. Einmal allerdings konnte sie nicht umhin, auch auf eine Neuigkeit ihrer Schwester mit »Aha« zu antworten. Laura erzählte sie in meiner Gegenwart und nur wenige Stunden, nachdem ich sie, an ihrem Automaten stehend, mit verstellter Stimme einer imaginären Freundin mitgeteilt hatte. Ich hatte mich eine Weile in der Bahnhofshalle herumgetrieben, eigentlich um zu beobachten, ob der Schichtwechsel wirklich so geheim verlief, wie Laura immer behauptete. Konnte man in diesem Städtchen überhaupt irgend etwas auf die Dauer geheimhalten? Ich wartete. Eine halbe Stunde. Eine Stunde. Dann verlor ich die Geduld und ging hinüber zum Automaten. Er war etwa zwei Meter hoch, mit eloxiertem Aluminium verkleidet, über dem Geldschlitz war ein rotes Schild angebracht, darauf stand in großen schwarzen Lettern: »Schnellautomat«, und in kleineren darunter: »4,65 g Kaffee/0,1 l Wasser/0,50 MDN.« Ich steckte eine Münze im Wert von 0,50 MDN in den Geldschlitz, drückte auf den rechts daneben angebrachten braunen Knopf, eine rote Lampe leuchtete auf, ich riß den untersten, halb herausragenden Pappbecher aus der Aluminiumröhre, hielt ihn unter den Hahn, drückte den blauen Knopf mit der Aufschrift »Wasser«, eine weiße Lampe leuchtete auf, wenig später floß heißer Kaffee in meinen Becher. Und mich wandelte die Lust an, einer imaginären Freundin mit verstellter Stimme zu erzählen, daß die Mark nur noch fünfzig Pfennig wert wäre. Keine Ahnung, wie ich darauf kam. Vielleicht weil ich fror, oder weil ich mich langweilte, oder weil der Kaffee nach Pappe schmeckte, keine Ahnung. Laura erzählte die Neuigkeit jedenfalls noch am selben Abend in meiner Gegenwart der Großmutter, und die sagte »Aha«. Dann nahm sie den an der Krücke aufgehängten Stock vom Bettpfosten, humpelte zum Schrank, stellte sich vor eine der mit Blumen und Früchten bemalten Türen und strich mit beiden Händen die steifgestärkte Trägerschürze. Laura dagegen trippelte aufgeregt um den Tisch herum. Sie verdarb sich jeden Ärger. Die Großmutter haßte weltfremde Menschen. »Gottverd«, sagte sie. Nur »Gottverd«, sie sprach den Fluch nicht aus, sie beherrschte sich, vielleicht gab es doch einen Gott. Sie glaubte an einen für alle Fälle. Das fiel ihr nicht schwer, denn dieser Gott war ungerecht. Die Großmutter hatte sich in seiner Welt eingerichtet. Sie ärgerte sich, wenn sie sich nicht ärgern konnte. In ihrem Testament stand, ich sollte die lederbezogenen Bibeldeckel mit Schuhcreme wichsen.

Bele verbrachte den Vormittag auf dem Balkon. Ruhig, um die Fütterung der jungen Schwalben nicht zu behindern. Sie reckten ihre Schnäbel aus den dunklen Nestern, die ihre Eltern an die weißgetünchte Balkondecke geklebt hatten, drei Nester klebten an der Decke des Balkons. Bele faulenzte im Liegestuhl. Die Schwalbeneltern arbeiteten. Schwer. Unermüdlich schnitten sie mit ihren Flügelmessern die heiße Luft. Paul aß viel, wenn das Arbeitsfieber ausgebrochen war. Einige Tage vorher hatte er gewöhnlich Gastritis und aß nichts oder Zwieback. Wenn ihn was am Arbeiten hinderte, bekam er Gastritis. Wenn die Arbeit nichts erbrachte, auch. Zum Frühstück hatte er zwei Eier, Ölsardinen und drei Stück Kuchen gegessen. Danach hatte die Wissenschaftlerin Motel erzählt, daß Revolution chinesisch Ko ming hieße: den Auftrag ändern. Im Emblem ming gebiete der Himmel selbst: er erteilte den Auftrag, daß schlechte Herrschaft abgelöst werde; der Mittler wäre das Volk. Die chinesische Staatslehre zu Zeiten der Dynastien wie der Republik hätte die Legalität eines Umsturzes nicht a priori ausgeschlossen. Kultur hieße chinesisch wen-hua. Ein umgangssprachlicher Doppelausdruck, der allerdings semantisch irrelevante Zweisilbigkeit eher vortäuschte denn prätendierte, seine beiden Embleme bildeten zusammen ein komplexes Drittes. »Wen« meinte das Geschriebene schlechthin, weniger die Schrift als das Schriftstück, das Schrifttum, die Literatur; von daher ginge es – den Traditionen Chinas entsprechend, die alle Bildung vom Beherrschen der Schrift, jede Position vom Beherrschen der Bildung abhängig machten – auf die Kultur, die einer hat. Unser cultura, ursprünglich Landbau, deute eher auf die Kultur, die einer macht. Hua meinte »sich ändern, verwandeln, entwickeln«, nämlich mittels des Geschriebenen »sich zu etwas machen«: zum Gebildeten. Große Proletarische Kulturrevolution hieße chinesisch wu-ch'an chieh-chi wen hua ta ko-ming. Gegen zehn kam wie gewöhnlich das Dollarboot in

Sicht. Es transportierte Touristen zwecks Besichtigung der Küste, der Bootsführer bevorzugte freikonvertierbare Währung, er trug einen Tropenhelm. Der Balkon war noch schattig. Die Zimmermädchen waren noch nicht zu hören. Wolkenloser Himmel. Bele wollte lange Zeit kein Kind, weil sie die Aussicht, nie mehr allein zu sein, erschreckte. Während der zweieinhalb Wochen, die Bele in W. gewesen war, hatte es neun Tage beinahe ununterbrochen geregnet, Schwäne und Enten hatten den Teich verlassen und den Rasen des Schloßgartens belatscht, Bele hatte sie vom Toilettenfenster aus beobachtet. Während der Mahlzeiten sprach Paul über das Symmetrieproblem. Zu Bele gewandt, sie wünschte sich, mit Bruno den Löwen Anton zu erörtern, der keine Leber fraß. Der Löwe Anton war eine Schöpfung von ihr, jeden Abend verlangte ihr Sohn eine Schöpfung, aber neu mußte sie sein, in dieser Notlage adaptierte Bele manchmal Tiere, der Kater Murr und der Dackel Fritz zum Beispiel waren adaptiert, nicht jeden Abend lieferte der Kopf ein großes Tier, Bele trainierte auf der Hochzeitsreise. Aus Rücksicht auf das Genie von Paul nicht mit dem Löwen Anton, sondern mit Badewannen, Dichtern, Großmüttern und anderen seriösen Gegenständen. Wahrscheinlich hörte er oft gar nicht zu, jemandem zuhören gehörte zu den höchsten Auszeichnungen, die er zu vergeben hatte, er konnte nicht jeden Abend Auszeichnungen vergeben. Training war keine öffentliche Veranstaltung, sondern eine Tätigkeit, die um ihrer selbst willen getan wurde wie Tagebuchschreiben. Bele war gebürtige Deutsche, das befähigte sie. Wiebke war gebürtige Mecklenburgerin. Das erklärte ihren Langmut. Lärm störte sie nicht. Paul verbreitete lautlosen Lärm, der strengte Bele mehr an als gewöhnlicher, sie erholte sich von ihm. Die Schwalben schufteten. Freier Blick auf die Stadt, die in der Sonne saß. Hintern in die Bucht geklemmt, Arme auf den Hügeln, Füße im Wasser, Bele wünschte sich, fliegen zu können, in einem Tagebuch darf man diesen Wunsch äußern. Zumal Freud in dem Fall irrte, ohne Frau konnte Paul nicht arbeiten. Er war ein glänzender Liebhaber, je mehr er arbeitete, desto glänzender war er, das ärgerte Bele. Schließlich ist es der Ehrgeiz jeder anständigen

Frau, ihren Mann müde zu machen. Bele machte Paul munter. Er kam von Büchern, glänzte und kehrte zu Büchern zurück, um mit ihnen den Rest der Nacht zu verbringen. Pauls Vater gefiel ihr. Sie besuchte ihn oft in seiner Werkstatt. An deren Wänden hingen letztens berühmte Gesichtsschädel, romanische Ziegel, ein mittelalterlicher Engel, in den Regalen lagen unter anderem Melonen, Weintrauben, Äpfel, Bananen, ein Pflaumenkuchen und ein goldener Stier, alles aus Ton, Gips, Seidenpapier und Leim gefertigt. Bele hatte für ihn einen Zinnkrug erstanden, die gleichen Sandalen, die sie in Dubrovnik gekauft hatte, sah sie täglich an den Füßen der Säuglingsschwester Schuch, der Empfangschefin und der Sängerin vom Fischrestaurant. Bele beschloß, in Berlin zu bleiben und S-Bahn-Triebwagenführerin zu werden. Ihr Heiratsentschluß war auch schnell gefaßt worden. Den Blättern der blühenden Agaven, die den Hoteleingang flankierten, waren Monogramme eingeritzt. Wenn die Agaven verblüht sind, sterben sie. Bele wartete bereits zwei Tage auf die Regel. Letzte Nacht fuhr Bele die Strecke Hohenschönhausen–Kupfergraben. Entweder sie kühlte sich mit einem nassen Handtuch den Schädel oder sie fuhr die Strecke Hohenschönhausen–Kupfergraben, lüften half nicht mehr, auch die Einheimischen könnten bei derartigen Temperaturen nicht schlafen, sagte Vlado, das war der freundliche Kellner, der seine Plattfüße über die Teppiche schleifte. Bele führte sein übermüdetes Aussehen nicht auf die Hitze, sondern auf Fräulein Motel zurück. Professor Brandis hatte eine Karte aus Birmingham geschickt. Das hieß: Der Skandal war vergeben. Ein Institutsdirektor ist an Skandalen begreiflicherweise nicht interessiert, weil sie die Arbeitsatmosphäre ungünstig beeinflussen, die Arbeitszeit am Institut hatte er von sieben Uhr fünfunddreißig bis sechzehn Uhr fünfundvierzig anberaumt. Paul behauptete, die wissenschaftliche Arbeit würde an der Zahl der durchgesessenen Stühle gemessen. Brandis schrieb, er wäre rechtzeitig zurück und also bereit, als Trauzeuge zu fungieren. Während der Regentage in W. waren Bele mehrere Kilo in Scheiben geschnittener und auf Zeitungspapier gebreiteter Pilze verschimmelt, die sie in der Orangerie zum Trocknen ausgelegt hatte. Später fand in der Orangerie ein Ernteball statt. Bele wagte sich nicht hin. Vergangene Nacht saß der Schloßverwalter in ihrem Wagen, zweiter Anhänger. Herr Wöllner stand, er weigerte sich zu bezahlen, wenn er nicht sofort einen Sitzplatz bekäme. Bele fehlte Wechselgeld, die Tür klemmte, am Oranienburger Tor wurde der Straßenbahnzug von einem Wartburg gerammt, es entstand erheblicher Sachschaden, Personen wurden nicht verletzt, wohin Bele auch immer fuhr, sich konnte sie nicht davonfahren. Gegen dreiundzwanzig Uhr erzählte sie Paul folgende Geschichte:

Kopfstand

Neulich besuchte ich mit Robert ein merkwürdiges Haus. Im Gegensatz zu anderen Gebäuden wurde es angestrahlt. Von Scheinwerfern. Allen, die es betreten wollten, wurde Geld abgenommen. Auch die Mäntel mußte man abliefern.
Die Beleuchtung innen stand der außen in nichts nach. Wir hatten uns zwei Klappsitze unter dem Kronleuchter gemietet. Plötzlich ging das Licht aus. Robert benutzte geistesgegenwärtig die Gelegenheit. Aber die Gelegenheit war kurz, ein Bluff sozusagen. Denn es handelte sich nur um eine Umschaltpause. Das Licht wurde nämlich nunmehr auf etliche Quadratmeter gerafften Stoff geworfen. Und als der geraffte Stoff weggezogen wurde, lautlos, automatisch, wie ich annehme, flammten so viele Scheinwerfer auf, daß wahrscheinlich in der Stadt der Strom abgeschaltet werden mußte.
Die Scheinwerfer strahlten eine Lokomotive an, die zischte und Funken spie und auch sonst aussah wie eine richtige Zweiundzwanziger. Männer, die angezogen waren wie richtige Eisenbahner, putzten sie, redeten, hantierten mit Mutterschlüsseln und schmierten sich ins Gesicht, was aussah wie richtiges Schmieröl. Dann trat der Lehrausbilder an die Rampe und trug uns und den anderen, die sich auch Klappsitze gemietet hatten, die Arbeitsweise der Maschine und der Bedienung vor. In einer Art Sprechgesang. Mit einer extra für diese Zwecke ausgebildeten Stimme, die Vorschlaggehämmer übertönen konnte. »Hier sind wir richtig«, sagte ich zu Robert, ich hatte schon lange von einem Land geträumt, in dem Gesangunterricht zur Lehrausbildung gehört. Leider hatte ich meinen Kopfschlüssel verloren. Wenn ich mit Robert ausgehe, verliere ich stets den Kopfschlüssel. Den anderen Stuhlmietern schien das nicht zu passieren. Jedenfalls hatten alle oder doch fast alle in dem Augenblick, da der Lehrausbilder an die Rampe getreten war, ihren Kopf aufgeschlossen und die Schreibgeräte herausgeholt. Und nun notierten sie, was der Lehrausbilder langsam zum Mitschreiben sang. Nur Robert

und ich saßen so da. Einfach so. Der Zustand meines Gewissens verschlechterte sich. Als eine Pause eingelegt wurde und alle aufstanden und rausrannten, um zu essen und zu trinken und zu reden, blieb Robert sitzen. Er hat keinen Arbeitsstil. Er taugt höchstens für die Liebe. Und da war er falsch in diesem Haus. Er fragte: »Warum haben die Leute geklatscht?« Wer so was fragt, taugt wirklich höchstens für die Liebe. Ich sagte ihm das sinngemäß und fügte hinzu: »Bist du etwa dagegen?« – »Wogegen?« – »Na gegen die Pause?« – Ich ging allein raus. Einige Jungs hatten ihre Elektrogitarren mitgebracht. Das Foyer draußen hatte bereits eine Temperatur von etwa einundneunzig bis zweiundneunzig Grad Celsius. Ich machte mir auch ein paar lustige Minuten. Der Zustand meines Gewissens besserte sich. Alle hatten ihre Schreibgeräte weggeschlossen. Dann klingelte es, und die Leute kehrten wieder ernst zu ihren Klappsitzen zurück. Ich auch. Als wir Platz genommen hatten und das Licht wieder auf den gerafften Stoff geworfen wurde, stand Robert auf. Und scheuchte mich hoch. Und zerrte mich aus der besetzten Stuhlreihe. Und als so viele Scheinwerfer auf die Lokomotive und das Bedienungspersonal gerichtet wurden, daß wahrscheinlich in der Stadt der Strom abgeschaltet werden mußte, zündete Robert sein Feuerzeug an und führte mich aus dem Haus. Obgleich der Umgang mit offenem Feuer verboten war. »Warum gehen wir?« – »Weil mir die Lokomotive nicht gefällt«, sagte er. »Sieht aus wie eine richtige«, sagte ich. – »Aber sie ist keine richtige. Sie ist nur aus Pappe.« – »Und der Dampf und die Funken und die Kohlen . . .?« – »Und wer garantiert mir, daß das Schmieröl echt ist?« – »Muß es denn unbedingt echt sein?« – »Ja«, sagte er. »Wenn schon Schmieröl, dann echtes.« – »Aber die Lokomotive war doch wirklich täuschend ähnlich.« – »Ich mache mir nichts aus Täuschungen«, sagte er. »Eine täuschend ähnlich gemalte Lokomotive ist immer schlechter als eine echte.« – »Und die Repräsentanten der Eisenbahner?« – »Wenn schon Repräsentanten, dann statistisch repräsentative. Von soziologischen Untersuchungen verlange ich Präzision. Und direkte Einsicht in das Material verlange ich, nicht diesen zeitraubenden unsinnigen Umweg über die, nun, Kunst.« – Es war finster auf der Straße. Robert zündete sein Feuerzeug an und schirmte die kleine bläuliche Flamme ab mit der Hand. »Und die Stimme des Lehrausbilders«, sagte ich, »willst du etwa behaupten, daß sein Gesang . . .« – »Solche Gesänge lassen wir uns morgen von Computern komponieren.« – »Und die Komponisten?« – »Werden arbeitslos.« – »Und die Dichter?« – »Werden überflüssig.« – »Schrecklich«, sagte ich. Der Wind blies die Flamme so schief, daß sie beinahe Roberts Hand berührte. »Du verbrennst dich noch«, sagte ich. »Bei Brandwunden Lebertransalbe«, sagte Robert. »Lebertransalbe wird nie überflüssig werden.« – »Schrecklich«, sagte ich. Und weinte einige Tränen. – »Wegen einer lächerlichen Brandblase! Männer merken so was gar nicht. Kaum . . .« – »Denkst du, ich wein wegen Männern? Ach, die Dichter, die armen . . .« – »Asche zu Asche, Staub zu Staub . . .« – »Alle?« – »Alle. Es sei denn, sie raffen sich auf. Und wenden an ihre Gedichte und Geschichten mindestens ebensoviel Gehirnschmalz wie jene, die sich die eleganten Computer ausdenken. Wer seine Zeit mit der Nachbildung von Lokomotiven und der soziologisch repräsentativen Widerspiegelung von Bedienungspersonal vergeudet, und wären es die modernsten Modelle, der letzte Schrei, wird von der Konkurrenz der Datenverarbeitungsmaschinen aufgefressen werden. Behaupten können wird sich nur der Dichter, der der imposanten Erfindung einer elektronisch gesteuerten Lokomotive eine ebenbürtige, das heißt nicht vergleichbare, mithin gleichberechtigte Erfindung entgegenzustellen hat.« – »Du redest, als ob die Lokomotive gesungen hätte«, sagte ich. »Ja«, sagte er. »Die Entwicklung der Mikrophysik, die sich mit nur mathematisch und sonst nicht exakt beschreibbaren Gegenständen beschäftigt, zwingt die Dichter schon jetzt, wenn es welche sind, sich der Realität auf ebenso phantasievolle Weise zu nähern wie die Physiker. Das heißt, sie müssen einen Weg suchen, der sich von dem der Physiker absolut unterscheidet. Im Verarbeiten von vorliegendem Material sind die Computer nicht zu schlagen. Auch nicht vom Genie. Denn ihre Dummheit machen die Maschinen durch Fleiß, Gründlichkeit und sagenhafte Schnelligkeit wett. Nur ein Holzweg führt zu einer mit Science Fiction versetzten Literatur, die für Fachleute zu langweiligen und für Laien zu komplizierten Stoff schüttet. Eine technisierte Welt wird den Künstlern abzwingen, was ihre Maschinen und Formeln repräsentieren: Phantasie.« – »Robert, du taugst wirklich höchstens für die Liebe«, sagte ich. »Hast du denn überhaupt schon mal einen Dichter angefaßt?« – »Nein«, sagte er. »Also«, sagte ich. »Muskeln sind dauerhaft. Aber Transistoren, Ferritkerne . . .« – »Wer mit Muskeln denkt, ist bereits überflüssig.« – Und wer immerzu seinen Kopfschlüssel verliert und nicht an sein Schreibzeug kann?« – »Köpfe werden morgen nicht mehr zum Aufbewahren von Schreibgeräten benutzt, sondern zum Denken.« – »Mein Kopf auch?« – Robert hielt die kleine bläuliche Flamme des Feuerzeugs so nahe an meine Augen, daß sie die Wimpern versengte.

Als Bele am Morgen einen Film kaufen ging, begegnete ihr ein muselmanischer Begräbniszug. Der wurde von Männern gebildet. Die Frauen standen entfernt in der heißen Sonne, bis zu den Augen in weiße Tücher gemummt. Der offene, mit einer weißen Decke behängte Sarg wurde an der Kopfseite von einem kleinen Baldachin überdacht. Die männlichen Angehörigen trugen verschiedenfarbige Hemden, standen am Friedhofseingang und schüttelten Hände, die ihnen Vorbeimarschierende und Zuschauer entgegenstreckten. Dann rannten sie dem Trauerzug nach. »Warum sagst du Robert, wenn du mich meinst?« fragte Paul auf dem Badefelsen. »Wenn ich Robert sage, meine ich Robert«, antwortete Bele. – »Und wenn du Franz, Elias, Jan, und wie die Herren alle heißen, sagst?« – »Meine ich Franz, Elias, Richard, Jan und wie die Herren alle heißen.« – »So viele Männer lernt man als Schaffnerin kennen?« – »Ich habe sie nicht als Schaffnerin, sondern als Touristin kennengelernt«, sagte Bele, »wenn ich dich als Modell benutzen könnte, würde ich dich nicht lieben.« Paul riß die Arme hoch, sprang auf und führte mit Rembrandt und Rubens den Gegenbeweis. Der Gegenbeweis ehrte Bele. Von Bruno war sie noch nicht gefragt worden, wer für den Löwen Anton Modell gestanden hatte, ein Kind konzentriert sich auf wichtige Fragen, bedauerlicherweise verliert es mit den Jahren seine instinktive Klugheit, deshalb verabsäumte Bele, obgleich sie ein Tagebuch schrieb, nicht, darin zu erklären, daß die Geschichten, die sie Paul allabendlich erzählte, erlogen wären. Sie hätte keinen Menschen totgelacht beziehungsweise gefressen. Die auf dem Badefelsen vorherrschende Phonstärke erschwerte Gespräche. Der Beton war terrassenartig gegossen, die Terrassen waren mit Steinen umfriedet wie die Felder der Bergbauern. Auf dem Beton standen Pritschen, die konnte man mieten. Bele hatte eine Pritsche und einen Sonnenschirm gemietet, weil sie nicht baden konnte, Paul besuchte sie, wenn er etwas gefunden hatte oder eine Pause für angebracht hielt.

Von seinen Funden erzählte er meist indirekt, um Bele den mathematischen Apparat zu ersparen, die Gegenstände, mit denen er sich beschäftigte, waren nur mathematisch beschreibbar, er sagte also: »Ich bin verrückt nach dir« oder »du bist die schönste Frau, die mir begegnet ist« oder »du hast schöne Beine« oder »Physik ist eine vitale Wissenschaft für vitale Männer, und Klatt ist fleißig«. Wenn die Pfeife ausgeraucht war, erhob er sich von der Pritsche und schritt von dannen, barfuß, die Pritschlatten hatten seinen Oberschenkeln rote Streifen eingeprägt. Nun breitete sich Bele über die Pritsche, zählte die blauen Punkte im Schirmstoff und wartete auf den nächsten Fund oder die nächste Pause. Im Institut hatte sie immer auf die Mittagspause gewartet. Die war für zwölf bis eins festgelegt, die Physiker gingen meist gegen eins essen, sie saßen an einem langen Tisch links neben der Essenausgabe. Rechts neben der Essenausgabe waren etwa vier Quadratmeter Wand mit rotem Stoff überspannt, goldene Tapetenleisten faßten ihn ein, gestanzte ungefärbte Pappbuchstaben waren mit Stecknadeln am Stoff befestigt, die untere, horizontal verlaufende Leiste wurde von einer Blumenkrippe mit Grünpflanzen verdeckt. Das Essen holte man sich an der Ausgabe. Wenn es Fleisch gab, suchten die Küchenfrauen dem Professor ein schönes Stück aus, Professor Brandis saß am Tisch links neben der Essenausgabe, er war sechsunddreißig Jahre alt. Seine akademischen Mitarbeiter waren jünger. Nach dem Essen knobelte Brandis mit ihnen; wer verlor, mußte das schmutzige Geschirr in die Küche tragen. Bele hatte am Laborantentisch gesessen. Gegen eins. Da war er nur noch schwach besetzt gewesen. In W. hatte Bele mit zwei älteren Damen den Tisch geteilt. Zu Beginn der Mahlzeit pflegte die eine der anderen zu sagen: »Iß langsam.« – »Das tu ich auch«, sagte die andere, die Damen waren Zwillingsgeschwister. Die Zwillinge hatten ihre Lippen und Nasen mit Zinksalbe bestrichen. Bele erwiderte ihren Gruß, indem sie den rechten Fuß hob. Später spielten sie neben den Duschräumen mit der Säuglingsschwester Schuch Skat und sprachen den hiesigen Autobussen Weltniveau ab. Fräulein Schuch mußte den größten Teil des Tages im kleinen Speisesaal verbringen, da ihre

Berliner Tante keine Sonne vertrug. Der hohe Salzgehalt des Meeres machte Duschen nach jedem Bad erforderlich, Bele war froh, daß sie nicht baden konnte. Sie genoß den angstlosen Tag, der Monat hatte nicht viele. Die verbrannte Haut an den Schienbeinen und den Schultern ölte sie in Abwesenheit von Paul, Leute, die verbrannten, erschienen ihr zu deutsch. Pauls Nationalstolz befremdete sie bisweilen. Als sie sich kennenlernten, hatte er gesagt: »Vor dreiunddreißig war die Sprache der Physik deutsch, als wir anfingen, mußten wir die sowjetischen Physiker fragen, ob sie an unserem Projekt mitzuarbeiten interessiert wären, jetzt fragen sie uns, in Dubna sind wir angesehen.« Bele war fünf Wochen angelernt worden. Universalmeßmikroskop, Gapmesser, Schere, Leimtopf, Projektor. Sieben Wochen verbrachte sie täglich drei bis vier Stunden am Projektor, um für einen Studenten, der mit den Messungen in Verzug geraten war, Elektronenspuren zu messen. Elektronenspuren sind spiralförmig, sieben Wochen lang suchte sie Filmmaterial nach Trichinen ab und sang dabei: »In meiner Ranch bin ich König« und andere Lieder, sie saß allein in einem verdunkelten, luftarmen Zimmer, manchmal rief Paul sie an und erzählte ihr, daß die Rechenmaschine sich hitzehalber ständig verrechnete oder daß die Quarks das bisherige Denken von Grund auf revolutionierten, wenn sie experimentell nachgewiesen werden könnten. Bisher wären alle Quarkexperimente gescheitert, er hoffte auf den Beschleuniger in Serpuchow. Außerdem wäre er froh, experimenteller Physiker zu sein, da die Theorie gegenwärtig stagnierte, wahrscheinlich verbauten Axiome die Sicht, nur Experimente könnten unsere offenbar grundsätzlich falschen Vorstellungen von der Welt revolutionieren, Experimente und viel Meßknechttätigkeit. Auf die schimpfte er hochachtungsvoll, er behauptete, heute wäre ein Physiker kein Physiker, wenn er sich nicht auch um Organisationsfragen, Personalprobleme und vor allem um Geld kümmerte, die moderne Physik verschlänge Unsummen, das Institut brauchte dringend einige Millionen freikonvertierbarer Währung für eine neue Rechenmaschine. Der Skandal war nicht von den Beteiligten, sondern von den Zuschauern errichtet worden. In einem Institut, das sich mit unsichtbaren

Gegenständen beschäftigt, ist das Interesse an sichtbaren groß; die menschliche Natur erstrebt bei einseitiger Belastung Ausgleiche. Gegen siebzehn Uhr erschien Paul mit einer Flasche Sekt auf dem Badefelsen. Als er den Draht löste, schlug der Pfropfen gegen den Sonnenschirm, der siebenundachtzig blaue Punkte hatte. Bele holte eine Tasse vom Kaffeekiosk. Sie tranken abwechselnd aus der Tasse, Paul sprach über die Unbestimmtheitsrelation der Gefühle. Bele bezweifelte diese philosophische Theorie. Result: Paul zitierte Helmholtz, der 1875 einem gewissen Fick geschrieben haben soll: »Die Philosophie ist unverkennbar deshalb ins Stocken geraten, weil sie von der kräftigen Entwicklung der Naturwissenschaft noch kein neues Leben in sich aufgenommen hat.« Dann photographierte Paul Bele, sagte, daß das Leben wie alle auf der Erde ablaufenden Prozesse irreversibel wäre, und schwor, sie ewig zu lieben. Bele erzählte ihm folgende Geschichte:

Faungesicht

Ich ging allein durch den Winter. Zuerst geradeaus, dann wies ein Umleitungsschild nach rechts. Ich steckte mir das Schild an den Hut und ging nach links. Und verirrte mich natürlich. Und plötzlich stand ich auf dem Mittelpunkt der Welt, wo unsere Bank gewohnt hatte. Jetzt ragten nur noch vier Beinstümpfe aus dem Schnee; und ein Zipfel vom Papierkorb, in den wir moralische Gutachten und leere Pralinenschachteln geworfen hatten. Ich balancierte eine Weile auf dem Mittelpunkt und sammelte Tränen in ein Fäßchen, das ich immer bei mir trug. Aber dann verlor ich doch das Gleichgewicht und fiel in den Schnee. Er kam mir sehr hart vor. Plötzlich merkte ich, daß ich einem Rücken aufgesessen war. Er gehörte einem Faun, den die Kälte versteinert hatte. Im letzten Sommer.

Denn bei uns gibt es keine Faune.

Was für ein schöner Rücken, dachte ich und begann, ihn freizulegen. Nebenbei holte ich eine Platte aus meiner Erinnerung, zapfte eine Mikroträne ab vom Fäßchen, beschleunigte sie auf dreiunddreißig Elektronenvolt und warf das Tränenteilchen in die Plattenrille. Und die Stimme von Ben spielte mir ein Potpourri seiner Liebesgeständnisse. Die Stimme klang verzerrt, denn ich hatte die Platte schon oft abgespielt. Aber die zarten und die heißeren Nuancen waren sehr gut zu hören. Ein schöner Rücken, dachte ich, als er freigelegt war. Der Faun wollte sich revanchieren. Ich durfte ihn verwandeln: Gott für eine Sekunde. Er sagte: »Wenn Sie mir eine von Ihren charmanten Tränen ins Gesicht werfen, werde ich lebendig.« Ich schüttete das Fäßchen aus über ihm. Und er erbarmte sich und verwandelte sich in Ben. Der Winterhimmel schwebte auf uns zu an einem Fallschirm. Alle Bäume verneigten sich. Und die Sonne schmolz ein Loch in den Schnee, damit wir keine kalten Füße bekämen. Aber Ben fror trotzdem. Denn der Faun hatte ihm nicht mehr vererben können als ein Feigenblatt. Ben war geschmückt mit einem bräunlichen Teint und schönen Schultern und einer dünnen Scheibe

Speck auf den Rippen. Außerdem trug er noch immer den blauen Fleck am Hals, den ich ihm damals auftätowiert hatte, mit den Lippen. Aber ich gab ihm trotzdem meinen Mantel. Und er gab mir seine Arme und ein leises Stöhnen und alle Kußvarianten. Dann raufte ich sein Haar und verfluchte die Friseure, die immer zuviel abschnitten. Als die Sekretärin von Ben vom Himmel herunterbrüllte, ein großes Tier warte auf ihn, hielt ich Ben die Ohren zu und sagte: »Lassen Sie ruhig einen Zoo zusammenkommen.« Wir liebten uns nach allen Regeln der Kunst, die nicht gelehrt wird. Eine Stimme ging vorbei und sagte: »Ist es nicht ein bißchen kalt?« – »Im Gegenteil«, sagte Ben, »aber wenn Sie ein Zimmer frei haben . . .« Die Stimme entfernte sich errötend. Ben zeichnete mit dem Zeigefinger Koordinatenkreuze in den Schnee und Kurven, die mir nicht ähnlich sahen. Er rechnete und rechnete, aber der Fehler war nicht wegzukriegen. Und auf dem Mittelpunkt der Welt gab es keine Rechenmaschine. »Ärmliche Gegend«, sagte Ben. Er fischte die Koordinaten aus dem Schnee und vernagelte sie und das Schild »Umleitung«, das noch immer an meinem Hut steckte, zu einem Bett. Ich streichelte seinen Rücken. Er kam mir sehr hart vor. Plötzlich merkte ich, daß ich meinen Mantel wieder anhatte. Und daß der Himmel weggeflogen war und das Loch im Schnee gestopft. Meine Füße froren. Der Faun lag neben mir, steinhart. Ich ahnte, daß ich einem Rücken aufgesessen war.

Denn bei uns gibt es keine Faune.

Stadtführung. Boza hatte einen deutschsprechenden Pensio-
när engagiert, der rüstige Mann durcheilte die Stadt in fünfundzwanzig Minuten, Prag hätte er vielleicht in zwei Stunden
geschafft. Selbst Frau Prumps vermochte ihm nur streckenweise zu folgen, während des Eilmarsches schilderte Herr Kostić
die wechselvolle Stadtgeschichte. Konstantin versuchte die
Mitglieder der Reisegruppe mit der Aussicht auf Rotaprintab-
züge zu beschwichtigen, er beabsichtigte, von den Ausführungen Kostićs eine schriftliche Kurzfassung herzustellen, mit
deren Vervielfältigung er die Filiale des jugoslawischen Reisebüros in Konstantinopel betrauen wollte. Die Filiale befand
sich im Erdgeschoß eines am Fuße der Festung gelegenen
Häuschens. Den Felsen, auf dem die Festung errichtet worden
war, von den Serben, sagte Kostić, wobei er sich umdrehte,
Bele verstand ihn nur, wenn er sich umdrehte, den Felsen
erklomm Bele eingereiht nach Frau Janotte, ihr mit Chinabro-
kat bedecktes Hinterteil schwang Bele noch vor Augen, als sie
den Torbogen längst durchschritten hatte. Dem Hufeisenbo-
gen fehlte ein Stück Schlußstein, Kostić sagte, der Pascha hätte
es raushacken lassen, weil er das Tor zu Pferd passieren wollte,
der Pascha wäre sehr groß gewesen, Kostić zeigte auf Paul, um
anzudeuten, wie groß, weshalb Bele Namen und Lebenszeit
des Paschas überhörte, sie nahm jedoch an, daß es sich um den
nämlichen handelte, der über zweihundert Kinder, über sechzig Frauen und eine Lieblingsfrau besessen haben soll; der
Lieblingsfrau schnitt er den Kopf ab, da sie ihm untreu war, und
starb vor Kummer an Auszehrung. Fräulein Dr. Motel erklärte Bele, daß Werther nicht scheiterte, weil ihm der Gegenstand seiner Neigung gesellschaftlich unerreichbar war, sondern
weil ihm die private Bindung die soziale, der persönliche den
gesellschaftlichen Eros aufwiegen sollte. Das hätte seiner Neigung die verzehrende Intensität gegeben, das Illusorische des
Beginnens machte sie vernichtend. Was die Isolierung hätte
aufheben sollen, wäre zum Vehikel der Katastrophe gewor-

den. Das Liebesverhältnis wäre nicht deren Gegenstand, sondern ihr Ferment. Auf den Stufen der verfallenen Moschee im byzantinisch-venezianisch-türkischen Stil saßen verschleierte Frauen und putzten Gemüse, ein schwachsinniger Bursche bettelte Dinar, aus einem Festungsfenster dröhnte Beatmusik, ein Festungsbewohner sagte »Ahoi«. Dann zeigte er einige der vielen unterirdischen Gänge, die zu bunkerartigen Räumen führen sollten. Dorthin hätten sich einst reiche Stadtbewohner bei Gefahr mit ihren Schätzen und Familien geflüchtet, als Junge hätte er mal einen solchen Bunker geknackt. Er zeigte den geknackten Bunker, ein verfallenes niedriges Gewölbe mit einer Feuer- und einer Wasserstelle. Alle Bunker wären mit Wasserstellen versehen gewesen, die große Zisterne lieferte den Festungsbewohnern noch heute Wasser, das kälteste Wasser weit und breit. Der Festungsbewohner schilderte die Pracht des gefundenen Schatzes, den er hätte abliefern müssen, und versicherte, nicht noch einmal so dumm zu sein. Er wäre Fischer von Beruf und wollte auf der Festung ein Kaffeehaus errichten. Bisher wäre ihm das verboten worden, auch die auf Grund seiner Initiative begonnenen Betonierungsarbeiten für einen Tennisplatz hätten höheren Anweisungen zufolge eingestellt werden müssen, die höheren Anweisungen wären aus Beograd gekommen, der Fischer war Montenegriner, er führte die Reisegruppe auf den betonierten Platz. Dort schilderte Herr Janotte Frau Kunsch Verhörtaktiken. Einen Genossen hätte die SS nächtelang ergebnislos verhört, seine Freundin auch, sie hatte in derselben Widerstandsorganisation gearbeitet wie er, sie liebten sich, eine große Leidenschaft, junge Leute, sie hatten sich über fünf Monate nicht gesehen, die SS folterte den Mann in Anwesenheit der Frau, ihre Schreie hätten Janotte manchmal geweckt, auch ihn hätte man in Einzelhaft gehalten, schließlich hätte man die beiden zusammengesperrt und an Händen und Füßen aneinandergefesselt. Sie wurden nicht mehr gefoltert. Drei Monate später wäre die Organisation aufgeflogen. Wöllner sagte »Barbarei«, als er den betonierten Platz sah. Auch die Zinnen waren einbetoniert. Feiner Blick aufs Meer. Paul spielte mit Kindern Fußball. Der Vater des Fischers, der die Reisegruppe begleitete

– alle abkömmlichen Festungsbewohner begleiteten sie, obgleich Siestazeit war –, der sechsundachtzigjährige Vater des
Fischers schwor, sich erinnern zu können, daß vor dem Fe-
stungsfelsen Häuser gestanden hätten, Konstantinopel wäre
einst viel größer gewesen als heute, die Seeräuber hätten
hundertfünfzig Schiffe besessen und hundertfünfzig Kirchen,
der größte Teil der Stadt wäre im Meer versunken. Erdbeben-
halber. Jedes Jahr würde Konstantinopel von Erdbeben er-
schüttert, Bele zählte die restlichen Urlaubstage. Paul behauptete, in der Stadt keine Ruinen bemerkt zu haben, er ging
spazieren, um den Denkprozeß zu stimulieren. Der Fischer
erklärte, Vielweiberei gäbe es nur noch aus sozialen Gründen:
Alte Männer müßten für ihre Frauen sorgen. Außerdem existierten Komitees zur Bekämpfung der Blutrache, er persön-
lich warte auf ein Gewitter. Dann wollte er graben. Er verriet
der Reisegruppe zu wissen, wo es lohnte, vor einigen Jahren
hätten Holländer auf der Festung gegraben und wären mit den
gefundenen Schätzen verschwunden, seitdem wäre Graben
verboten, aber er warte trotzdem auf ein Gewitter. Und dann
würde er ein Caféhaus eröffnen, sagte er und zeigte das
Geburtshaus von Atatürk. Deshalb hätte die Türkei mehrfach
versucht, die Stadt zu kaufen, aber die Stadt wäre eine montenegrinische Stadt, und montenegrinische Städte wären unver-
käuflich. Ahoi. Paul teilte den restlichen Zwieback mit den
ihn begleitenden Kindern. Ein Junge schenkte ihm zum Andenken eine grüne Feige. Die pflückte er von einem Strauch, der
einer Mauerritze entwuchs, der Junge erklomm die verfallene
Festungsmauer barfuß. Aus einem neben dem Strauch gelegenen Fenster winkte eine Frau. Konstantin zählte die Mitglieder der Reisegruppe. Nach der Besichtigung eilte Paul zum
Kai. Der war von Anglern besetzt. Paul zog sich aus, sprang in
das an Angelschnüren hängende Wasser und tauchte. Nach
münzengefüllten Amphoren. Er förderte Bierflaschenscher-
ben zutage. Die Angler sagten, er hätte die Fische ver-
scheucht. Das ermutigte Bele, ebenfalls zu tauchen. Sie förderte folgende Geschichte zutage:

Wir mochten vielleicht drei, vier Stunden gewandert sein, als wir von ungefähr auf eine Schenke trafen. Sie befand sich im Erdgeschoß eines alten Hauses, die reinlich verputzte Fassade wurde von zwei den Eingang flankierenden Laternen beleuchtet. Unter der rechten Laterne hing ein Glaskasten, in dem eine Speisekarte mit dem Datum des betreffenden Tages ausgestellt war. Wenzel schien nur die Speisekarte zu sehen. Beim Anblick der kleinen Holzfässer, die neben dem Eingang standen, erinnerte ich mich meines Durstes. Schon als ich unter der Brücke auf Wenzel gewartet hatte, war ich durstig gewesen. Dann waren wir drei, vier Stunden durch leere, häuserlose Straßen gewandert. Da jeder von uns ein Zimmer in strenger Untermiete bewohnte, würden wir vielleicht noch heute unterwegs sein, wenn wir nicht von ungefähr auf die grüngetünchte Schenke getroffen wären. Möglicherweise verdankten wir dieser grellen Farbe, die einer regennassen Sommerwiese zur Ehre gereicht hätte, wenn nicht das Leben, so doch die Erinnerung an die Erfordernisse des Lebens. Wenzel las die Speisekarte vor. Köstliche Namen hallten und widerhallten. Leute blieben stehen und hörten zu: Die Stadt war wieder leicht bevölkert. Wir kehrten ein.
Die Garderobiere verweigerte uns die Abnahme der Mäntel mit dem Hinweis, sie wären von Schnee verunreinigt. Tatsächlich klebte auf den Kragen und den oberen Rückenteilen eine schollenartig gebrochene, etwa einen Zentimeter dicke Schneeschicht. Wir konnten uns nicht erklären, wie die auf den Stoff gelangt war, widersetzten uns jedoch nicht der Anweisung, die Kleidungsstücke vor der Tür durch Schütteln und Klopfen vom nassen Ballast zu befreien. Bei dieser Gelegenheit und auf eben diese Weise befreiten wir auch unser Haar. Nunmehr wünschte uns die Garderobiere einen guten Abend und nahm uns die Mäntel und vierzig Pfennig ab. Ordnungsgemäß versehen mit einer blauen Quittung über den entrichteten Betrag und einer Melakartmarke, der eine Num-

mer aufgeprägt war, durchwandelten wir einen Vorraum und betraten die an seinem Ende gelegene, durch Windfangtüren abgeschlossene Schankstube. Da war's noch finsterer. Ich führte Wenzel, der an Nachtblindheit litt, zu einem Tisch mit großen Sesseln. Wir versackten in den Sesseln. Ich reckte den Kopf und konnte über die Lehne hinweg einen Kamin ausmachen. Die auf den Rost geschichteten Holzscheite wurden von rotem Licht angestrahlt. Auf dem Gesims stand ein erleuchtetes Aquarium. Nur Kamin und Aquarium illuminierten den schmalen Raum, in dem wir wahrscheinlich die einzigen Gäste waren. Das ermutigte Wenzel, seinen Sessel einen Augenblick zu verlassen, den schmiedeeisernen Stocher von dem von mir aus gesehen rechts neben dem Kamin stehenden Ständer zu nehmen, damit gegen Lanze und Schaufel zu schlagen und nach dem Ober zu rufen. Nach einer Weile eilte der Ober herbei, empfahl uns Räuberbraten und Gamza und fragte nach unseren Wünschen. Wir bestellten Räuberbraten und Gamza. In der Wartezeit, die nicht länger als eine Stunde währte, brachte der Ober in der Reihenfolge der Aufzählung eine weiße Damastdecke, eine Vase mit Fichtenzweigen, einen kleinen Teller mit zwei Messern und zwei Gabeln, kreuzweise angeordnet, zwei große flache Teller und zwei halbe Papierservietten auf den Tisch. Der Ober wies darauf hin, daß die Teller angewärmt wären. Wenzel berührte den seinigen mit einer Zeigefingerkuppe und bestätigte das. Wenzel hatte schöne Zeigefingerkuppen. Ich hatte Hunger. Ich äußerte etwas Sinngemäßes. Der Ober zählte die Zutaten auf, die bei dem von uns ausgewählten Gericht zur Verarbeitung gelangten. Wenzel unterbrach ihn und behauptete, er hätte einen Hungerast, der Ober ging und schlug die Tür hinter sich zu, wir hätten ihn darüber informieren müssen, daß Wenzel Rennfahrer war. Er fuhr eine Maschine von VEB Elite-Diamant und Kowalit-Reifen. Der Ober fuhr ein Serviertischchen auf uns zu. Dann trug er das Gericht auf. Zunächst auf das Serviertischchen. Wenzels Nachtblindheit schien behoben. Er tastete das Gericht mit Blicken ab, die meinen Anteil in Frage stellten. Ich betrachtete die Zierfische, die sich durch ein Dickicht von Wasserpflanzen zwängen mußten. Zwei Sprungfedern stachen mich achtern, wenn ich mich bewegte, knackten sie, in Gegenwart des Obers wagte ich mich nicht zu bewegen, weil ich Sprungfederknacken für ein unanständiges Geräusch hielt. Der Ober machte sich an unseren Portionen zu schaffen. Zuletzt goß er mit der Bemerkung, es handele sich um Rum, über das schaschlikartig gespießte Fleisch eine Flüssigkeit und entzündete sie. Bläuliche Flammen waberten auf dem metallischen Teller, erhellten die Gäste, die Stube, Bilder traten aus den Wänden, Stilleben mit totem Getier, nackte Frauen, Engel, herrlich brannte das Fleisch. Als die Flammen gesunken waren, zog der Ober die Spieße und legte das Gericht vor. Durchsichtige Speckscheiben, Pilze, die Rind- und Schweinefleischwürfel an den Rändern schwarzbraun, nach der Mitte zu heller gefärbt, die Mitte selbst rot und gelöchert vom Spieß, Zwiebelstücke. Dazu Pommes frites, Chicorée, Tomaten, saure Pilze, in Maraschinolikör marinierte Kirschen, Meerrettich. Wenzel schlang schweigend. Große blicklose Augen. Unter der Schläfenhaut, die die Kieferbewegungen reflektierte, zeichnete sich rechts eine Ader ab. Zweimal entrang sich seinem tätigen Mund ein Laut in Form eines Wortes. Das klang wie ein Schrei: »Gut«. Ich aß doppelt so lange wie Wenzel. Ich trank halb soviel Wein wie er. Obgleich ich sehr durstig war. Wir bestellten noch einige Flaschen. Sobald der Alkohol, der auf dem von uns verzehrten Räuberbraten mit bläulicher Flamme waberte, verbrannt war, gossen wir nach. Die Schankstube war in bläulich zuckendes Licht getaucht. Ein Apfel fiel aus dem Stilleben, das am Kaminabzug befestigt war. Er kollerte unter meinen Sessel. Ein mit dem Kopf nach unten in die Bildmitte hängender Hase befreite seine Läufe von den Fesseln und sprang ins Aquarium. Geköpfte Rebhühner hoben die Hälse von der Silberplatte, breiteten ihre Flügel und schwangen sich in die Luft der Schankstube. Einige ließen sich bald auf verschiedenen Körperteilen der nackten Frauen nieder. Das sahen die Engel in der Manier der Sixtinischen Madonna, stürzten sich ebenfalls aus dem Rahmen und fuhren reißend unter das Getier. Federn stoben, brenzliger Geruch. Geschrei. Herrlich brannte das Fleisch. Das bläulich zuckende Licht wurde von Wenzels Schädel nimbusartig fokussiert. Ich schob den geleerten Teller von mir. Wenzel zündete sich eine Zigarette an. Ich nahm die Textilien mit einem Blick. Der Ober räumte das Geschirr vom Tisch. Als er es weggetragen hatte, waren die Schultern, die wie immer leicht vorragten, so daß sich hinter den Schlüsselbeinen dreieckige Mulden bildeten, hautlos. Auch an den Armen lagen Muskeln bloß. Dann verschwanden auch die. Wenzels rechte Hand krallte sich in dem Lehnenplüsch, ich geriet mit dem Ellenbogen in ihre Nähe, es entstand ein Lichtbogen, ich hieb ein Glas Wein in mich hinein; als ich wieder hinsah, saß ein Skelett im Sessel. Ich traute meinen Augen nicht. Ich wischte mir mit den Händen übers Gesicht. Es fühlte sich hart an und gratig. Ich griff nach dem Spiegel, den ich in der Jackentasche trug. Ich griff ins Leere. Und verursachte dabei ein merkwürdiges Geräusch, vergleichbar dem Klappern von Plastikgeschirr. Ich betrachtete meine Hände; Knochen. Ich sah an mir herab; sauber abgenagte Knochen.

Um Mitternacht stahlen wir unsere Mäntel aus der Garderobe, hängten sie über unsere Gerippe, wanderten noch ein Stück gemeinsam durch die Straßen, dann schieden wir voneinander und entfernten uns klappernd, jeder an seine Statt.

Fischer fingen am Stadtstrand einen jungen Katzenhai. Sie beruhigten die Badegäste mit der Bemerkung, der junge Hai hätte sich verirrt, nach Konstantinopel kämen keine Haie. In Sveti Stefan hatte Bele auch keine Schutznetze gesehen, und trotzdem war der Ort exklusiv. Weil er aus Fischerkaten bestand. Eine winzige Insel, dicht bebaut mit Sandsteinkaten, die Erbauer hatten sie verlassen, vielleicht hatten sie ebenso wenige Fische gefangen wie die Fischer Konstantinopels, jedenfalls waren die Häuser verfallen, bis ein gewitztes Unternehmen sie zu Appartements, Restaurants, Bars und Spielkasinos ausbauen ließ, der verwöhnte Tourist liebt Ärmlichkeit, wenn sie komfortabel ist. Der Rektor in Ruhe hatte mit einer amerikanischen Appartementbewohnerin englische Worte gewechselt und anschließend einen Bericht über seinen Englandaufenthalt im September 1924 gegeben. Paul hatte sich mit einem Bericht über Berkeley, Brookhaven und Chicago revanchiert, Bele hatte vom Prenzlauer Berg berichtet. Dann waren Bele und Paul noch durch die schmalen, sandsteinbelegten Gassen geeilt, hatten Treppen erstiegen, winzige Innenhöfe mit Feigenbäumen und blühenden Oleanderbüschen besichtigt, photographiert, Pall Mall gekauft, schwarzgekachelte Toiletten besucht und waren über die Landzunge, die Sveti Stefan mit dem Festland verband, zurück zum Bus gerannt, der Busfahrer hatte bereits gehupt. Fräulein Schuch war zuletzt gekommen, Konstantin war schon in Sorge gewesen, das war am zehnten Urlaubstag passiert. Jetzt hatte die Restaurantwand, an die die Schmalseite des für Paul und Bele reservierten Tisches stieß, bereits sechzehn Kerben, drei Fünfergruppen mit je drei Längs- und zwei Querstrichen und einen einzelnen Längsstrich. In W. hatte Bele die Abreise ersehnt. Obgleich sie sich vor der Ankunft fürchtete. Einige Stunden der letzten Tage brachte sie hin auf Pferderücken, die LPG stellte den Feriengästen Pferde zur Verfügung, die Reitstunde kostete vier Mark. Pferde wurden von der LPG nur zum Futterholen verwendet, Moritz arbeitete am Tage etwa eine halbe Stunde und war froh, wenn er langsam laufen konnte, Nora war etwas schneller, Bele ritt auf Moritz durch den Park. Fliegen umsummten sie. Zweige fuhren ihr ins Gesicht. Die Erschütterung, die der stampfende Gang des Pferdes erzeugte, teilte sich bis in den Schädel mit, Bele rieb sich gelegentlich den Schädel. Der Park war alt und verwildert. Da der Verwalter über zuwenig Arbeitskräfte verfügte, hatte er den Major einer Pioniereinheit gebeten, die Wege bei Gelegenheit zu planieren. Als eine Pionierbrigade mit einer Planierraupe im Dorf und der Umgebung Manöverschäden beseitigte, wies der Major die Soldaten an, die Parkwege des Schlosses mit zu erledigen, innerhalb eines Vormittags hatte die schwere Maschine sie von Moos und Unkraut befreit und tiefe Profilabdrücke und Mulden hinterlassen, Moritz stolperte mehrmals. Wenn er Nora vorbeigehen sah, fiel er in Trab, drei, vier Schritte, der Feldbaubrigadier hatte gesagt, Moritz wäre ein Hengst, die Stute gehörte dem Brigadier, er ritt sie, um ihr etwas Bewegung zu verschaffen: ein Bauer muß ein Pferd haben. Andere Gäste des Schlosses ritten nicht, sie verbrachten ihren Urlaub, Nachsaison, alte Leute. Bele hatte sich Reiten schöner vorgestellt. Die Linden, die das Schloß überragten, hingen voll grüner beerenartiger Früchte. Etwas Laub trieb der Wind bereits raschelnd über die Wege. Die Luft war mit Kühle gewürzt gewesen. Eine Falte mehr oder weniger machte Bele nichts aus; seitdem sie einen Sohn hatte, schaute sie gelassen in den Spiegel. Konstantin sang in der Bar: »Man müßte noch mal zwanzig sein«, er war ziemlich besoffen, die Kapelle spielte das Lied zu Ehren der deutschen Gäste, Paul hatte nach dem Abendbrot keine Lust mehr zum Arbeiten gehabt und war mit Bele in die Bar tanzen gegangen. Bele tanzte gern. Paul respektierte das, für ihn war auch Tanzen eine mathematische Disziplin. Vor jedem Tanz erfragte er das Genre, der Auskunft entsprechend berechnete er die Schrittkombinationen, wenn Bele die Strapaze nicht gescheut haben würde, hätte sie mit ihm eine Rumba auf langsamen Walzer tanzen können und umgekehrt, Paul richtete sich nach der Auskunft, nicht nach der Musik. Die empfand er als spezielle Form von Lärm. Insofern war er eine spezielle Form von Physiker. Die meisten seiner Kollegen, die am Institut arbeiteten, waren Musikliebhaber oder Amateure. Die Friedrichsfelder Jazzband rekrutierte sich in der Hauptsache aus Institutsmitgliedern, Bandleader Hoffmann zum Beispiel leitete die Abteilung Emulsion und blies Posaune, der Drummer war Maschinenmathematiker, der Klarinettist arbeitete am Kaskadengenerator, nur der Trompeter war außerhalb tätig. Als Fensterputzer. Angebote von professionellen Kapellen hatte er aus finanziellen Gründen abgelehnt, ein Fensterputzer mit Gefahrenzulage verdient mehr als ein promovierter Institutswissenschaftler, der Trompeter reinigte nur gefährlich gelegene Fenster. Außer Musik war Segeln in der Luft oder auf dem Wasser als Freizeitbeschäftigung beliebt, Paul hatte keine Freizeit. Er arbeitete regelmäßig bis drei. Dann schlief er vier Stunden. Er behauptete, nicht mehr Schlaf zu brauchen. Paul und Bele tanzten bis drei und tranken Martini und süßen Kaffee. Der Kaffee wurde in kleinen kegelstumpfförmigen Kupfergefäßen bereitet, zwei Teelöffel pulverisierter Kaffee und ein Teelöffel Zucker wurden in das heiße Kupfergefäß gegeben, mit siedendem Wasser übergossen, aufgekocht und mit einem Glas Wasser serviert. Im Kaffeerausch unterhielt Paul die deutschen Barbesucher mit druckreifen Reden über das Meer, das den Griechen die Kultur gebracht hätte. Die Seefahrt, aus Existenzgründen unternommen – Griechenland wäre ein armes Land gewesen –, hätte Kaufleute und Dichter, manchmal beide in einer Person, mit den jahrtausendealten Kulturen der Barbaren bekanntgemacht, die Reiseziele von Solon, Aischylos, Herodot, Platon wären Ägypten, Kleinasien, Babylon, Cyrenaika und Sizilien gewesen, die Odyssee beschriebe die Eroberung des Meeres durch das Volk der Griechen kraft seines Mutes und seiner Intelligenz. Als die Griechen ihre spätere Heimat erreicht hätten, wäre ihnen weder das Meer noch der Gebrauch der Schiffe bekannt gewesen, in Ermangelung eines Wortes für Meer hätten sie es Thalassa genannt wie die Ägäer, »Thalatta, Thalatta«, rief der Rektor in Ruhe bei dieser Gelegenheit. Er hatte schon lange auf eine gewartet, aber Paul war unerbittlich, wenn er redete, und fast schön. Sonst war er fast häßlich, er hielt sich für absolut häßlich, in Anwesenheit von Damen bevorzugte er, an Tischen zu sitzen, um seine Füße darunter verstecken zu können. Er schämte sich seiner Füße, die er für zu groß hielt, er ließ sich durch nichts davon abbringen, sich seiner großen Füße zu schämen, die Neugier hätte die Griechen groß gemacht, sagte Paul, die Neugier und die Fähigkeit zu erstaunen. Konstantin skizzierte Urkommunismus und Sklaverei und nannte Bele »unsere Schaffnerin«. Frau Kunsch sagte, Männern gestünde man offiziell ein Geschlechtsleben zu, Frauen nicht. Sie dürften zwar im richtigen Moment eins haben: das freute die Männer; eine Frau mit nicht unterdrückter Sexualität gälte jedoch bereits als nymphoman, die meisten Frauen arbeiteten das Problem weg. Dr. Stolp sprach über den Export von Beatle-Perücken in skandinavische Länder, Abschlüsse mit Syrien und die bevorstehende diplomatische Anerkennung durch die arabischen Staaten. Diepolt erzählte, ein Kollege hätte aus Streichhölzern den Petersplatz von Rom gebaut, das Modell stünde in seiner Laube, mit einer Italienreise könnte man ihn nicht mehr reizen. Wöllner erzählte, daß im Mai ein Tourist an Sonnenstich gestorben wäre, Paul hegte für Wöllner Antipathie. Antipathie auf den ersten Blick, seine Beziehungen zu Menschen gründete Paul auf den ersten Blick, als Ausgleich für professionelle Rationalität leistete er sich privat Irrationalität, er redete gern über Gefühle. Gegen drei erstieg er einen Stuhl und sagte: »Den erfindungsreichen Odysseus lockte das Unbekannte, er genoß die Schönheit des Meeres, das er fürchtete, er ließ sich an den Mastbaum binden, um ihr nicht zu verfallen, sein letztes Ziel war, die Natur zu bezwingen, im Altertum sind begabte Leute Seefahrer geworden, später Dichter, heute werden sie Physiker.« Bevor Paul einschlief, erzählte ihm Bele folgende Geschichte:

Unsere Schule hatte eine Blechkuppel. Das Aluminiumblech war kein Zierat, sondern Dach der Sternwarte. Dort trafen sich allabendlich gewisse Schüler mit dem Mathematiklehrer Bader, angeblich um den Sternhimmel zu betrachten. Unsere Stadt war in einen Talkessel gebaut, auf dem Industrieabgase lagen wie ein Deckel, die Sternstunden waren gezählt, die Kapazität der Sternwarte mithin nicht ausgeschöpft, die Schülervollverwaltung erklärte die Sternwarte zum Klubraum. Diese Erklärung zeitigte damals vornehmlich bei den Altlehrern eine Wirkung, die bei Angehörigen der gleichen Berufsgruppe heute etwa mit der Nachricht, die Oberschüler beabsichtigten, einen Barbetrieb einzurichten, erzielt werden könnte. Der Unterricht artete in Debatten aus. Der Kampf wurde mit Zensuren und Marx geführt. Der Direktor stieg die schmale Treppe zur Klubwarte hinauf, bot den umbaubeschäftigten Kumpeln Machorka und Prawda an und rauchte selber einige Pfeifen. Schüler und Lehrer gruppierten sich. Bader wurde entlarvt. Es war eine Lust, zur Schule zu gehen. Sie stand auf dem Gelände des ehemaligen jüdischen Friedhofs, umgeben von Baumriesen und Ruinen, in einigen Unterrichtsräumen dunstete Verwesungsgestank aus den Luftschächten. In den Pausen schlenderte Direktor Erbse, der amtlich Oberstudiendirektor Dr. Erb hieß, paffend durch die Korridore. Im Unterricht rauchte er selten. Unser Klassenlehrer sagte, der Gestank in einigen Räumen wäre kein Grund, die Schulgesetze zu mißachten. Wen er auf dem Lokus beim Rauchen erwischte, der mußte den »Tell« auswendig lernen. In englisch. Ich beneidete die Schüler der naturwissenschaftlichen Fachrichtung, die keine englischen Vokabeln pauken mußten. Meine Eltern hatten mir die sprachliche Fachrichtung verordnet, weil Sprachen für Mädchen gut wären. Ich war mir für Sprachen zu gut. Der Vorsitzende des Klubrates, unter dessen Leitung die Sternwarte zur Klubwarte umgearbeitet werden sollte, erbat von Erbse ein positives, das Unternehmen förderndes Wort für die Wandzeitung. Erbse sagte: »Meintsweschen.« Er unterrichtete Deutsch und Geschichte. Der Deutschlehrplan der neunten Klasse erforderte acht Stunden »Wilhelm Tell«. Erbse, der reichlich zwei Meter groß war, sprach eine Stunde über Tell und sieben über Engels. In einer durch Lehrermangel erwirkten Freistunde spielte unsere Klasse das Rütli-Stück, eine Stegreifkomödie auf Bänken. Alle Mitwirkenden standen auf Bänken, die Kothurne darstellten, Stauffacher stand auf dem Pult, der mit Füßen und Versen erzeugte Lärm hatte den Unterricht im Nebenzimmer offenbar gestört. Jedenfalls erschien Erbse, der, wie wir später erfuhren, nebenan französische Revolution zu lehren hatte, in der Tür, wir bemerkten ihn nicht, er mußte eine Weile gestanden haben, ehe er sie leise schloß und auf dem Papierkorb Platz nahm. Das bemerkten wir auch nicht, erst Machorkarauch machte uns aufmerksam, Stauffacher entfiel vor Schreck das Stuhlbein, das er zur Verlängerung seines Schwurfingers erhoben hatte, Erbse nahm seine Pfeife aus dem Mundwinkel, wischte sich mit dem Handrücken Tränen von den Backen, sagte »weitermachen« und wechselte vom Papierkorb zum Heizungskörper. Die Heizungskörper waren lauwarm, Schüler und Lehrer trugen im Winter während des Unterrichts Mäntel, Erbse legte auch im Sommer seinen Lodenmantel nur ungern ab. In den grünen Loden des unteren Rückenteils hatten die Heizungslamellen längs verlaufende Druckstreifen eingeprägt. Unser Erdkundelehrer trug einen gefärbten Militärmantel mit Holzknöpfen, als Abiturient einer Sonderklasse hatte er die Schule im Juli verlassen, im September betrat er sie als Neulehrer, er hatte schöne blaue Augen mit langen Wimpern drumherum. In Sonderklassen konnten ehemalige Soldaten und Wehrmachtshelferinnen mit oder ohne Notabitur sowie Personen, die infolge des Krieges das Schulalter überschritten hatten, im Schnellverfahren das Abitur erlangen, wir bewunderten diese Männer und Frauen, die Lehrer fürchteten sie. Einer dieser Männer hatte den Mathematiklehrer Bader hypnotisiert und auf einem Bein durchs Zimmer hüpfen lassen. Bader, der den Spitznamen Salbader führte, mit Herr Studienrat Bader angesprochen zu werden wünschte und Antworten nur von stehenden Schülern entgegennahm, hatte die Klasse wegen Titel- und Respektverweigerung nachsitzen lassen wollen. Die Sonderschüler erhoben sich nur, wenn Erbse das Zimmer betrat. Er sagte »behaltense Platz«, wenn er das Zimmer betrat. Salbader sagte nichts. Er führte das Lager der Klubgegner, die formalistische Zahlenspielereien als gesellschaftliche Arbeit ausgaben und den Kleinbürgern ihren Schlupfwinkel erhalten wollten. Der Sonderschüler Kubatz führte die Klubbewegung. Er war Vorsitzender des Klubrats, Leiter der Schülerselbstverwaltung und Chefredakteur der Wandzeitung. In der Schülervollversammlung ergriff er regelmäßig das Wort, schätzte die fachliche und ideologische Arbeit der Lehrer und Schüler ein, lobte, prangerte an, entlarvte, rief auf, gelegentlich einer derartigen Vollversammlung, die in der Aula stattfand, erließ er an die Lehrer- und Schülerschaft einen Spendenaufruf. Da eine Erklärung, Fahnenstoff und Transparente nicht gereicht hatten, um die Entwicklung der Sternwarte zur Klubwarte zu gewährleisten, ersuchte er um Geld für Bücher und Klubmöbel. Die Schüler sollten die Spendengelder durch Ferienarbeit aufbringen. Ich verkaufte vier Wochen Eis im Warenhaus, das war ein halber Sessel. Die andere Sesselhälfte verdiente ein Kumpel als Abrißarbeiter. Nur Kumpel spendeten. Lehrer- und Schülerkumpel duzten sich. Der Lehrerkumpel Ernst, der Ernst Goldhahn hieß und unsere Klasse Biologie lehrte, beriet nach jeder Stunde mit seinen Schülerkumpeln, wir rieten Ernst, die Rolle Pawlows besser herauszuarbeiten. Ernst spendete zweihundert Mark für den Klub. Erbse spendete fünfhundert. Er förderte die zerknüllten Geldscheine aus der Hosentasche auf das an der Deklinationsachse angebrachte Gegengewicht, blinzelte einen Augenblick in den Sucher und sagte, wir sollten das Fernrohr nicht kaputt diskutieren, derartige Geräte vertrügen keine Erschütterungen. Dabei grinste er wie gewöhnlich und schlenkerte seinen Mantel, den er mit den Armen bis hinter die Hüften gerafft hatte. Dier tabakbraunen Hände steckten in den Hosentaschen und füllten das verschossene Kleidungsstück etwas. Kumpel Hagen Levy kannte es schon vom Privatunterricht her. Erbse hatte dreiunddreißig den Schuldienst aus rassischen Gründen quittieren müssen, da er sich nicht von seiner Frau scheiden ließ, er verdiente seinen Unterhalt als Vertreter und unterrichtete illegal jüdische Kinder, solange es noch welche gab. Hagen Levy war der einzige seiner illegalen Schüler, der die Deportation überlebt hatte. Chemielehrer Kroker behauptete, Geschichte wäre keine Wissenschaft, und wollte aus Levy einen Chemiker machen, der kurze Hosen trägt. Die Frauen der Sonderklasse trugen Schminke und Frisuren à la Storchennest und Newlook.

Die meisten hatten die stofffressenden wadenlangen Röcke aus mehreren alten Kleidern zusammengesetzt, aber es gab auch Damen, die einfarbige wadenlange Kleider besaßen und dazu passende Schuhe mit dicken Kreppsohlen. Diese Damen wurden mit Autos angefahren und abgeholt, die Tochter des Strumpffabrikanten Planer kam in Reithosen zum Unterricht. Unsere Familie hatte nicht einmal ein Lexikon in Besitz. Englischlehrer Pavian widmete diesem Mangel eine längere Betrachtung. Den Spitznamen hatte er aus der Karin-Göring-Schule mitgebracht. Die meisten Mädchen meiner Klasse waren ehemalige Schülerinnen dieser Schule oder hatten kein proletarisches Elternhaus aufzuweisen. Die Jungen konnten neben den Sonderschülern und Neulehrern nicht bestehen. Wer etwas auf sich hielt, liebte einen Sonderschüler oder einen Neulehrer. Neulehrer durften sich nur platonisch lieben lassen, wenn sie im Dienst bleiben wollten. Ich liebte den Neulehrer Neuß mit den schönen blauen Augen und den langen Wimpern drumherum platonisch und den Sonderschüler Mathes total. Mathes war einundzwanzig und hatte aus amerikanischer Kriegsgefangenschaft große Vorräte an Präservativen mitgebracht. Studienrat Jahn lehrte Biologie aller Gattungen mit Ausnahme des Menschen. Als ihn eine Abordnung des Klubrates in seiner Wohnung aufsuchte, um ihm einen ausgestopften Uhu als Geburtstagsgeschenk zu überreichen, stiftete er der Schulbibliothek seine Sophien-Ausgabe. Mit ihr stieg die Anzahl der Goethe-Ausgaben, die der Schulbibliothek inzwischen als Schenkungen zugekommen waren, auf sechs. Eine vierbändige Prachtausgabe der Werke Casanovas vermochten wir Jahn auch mit einem ausgestopften Biber nicht zu entreißen. Die Tiere bezog Kubatz von seinem Onkel, der Jagdtrophäen für die Besatzungsmacht restaurierte. Eine Komsomoldelegation in unserer Stadt stationierter Artilleriesoldaten übergab den Kumpeln anläßlich eines Freundschaftstreffens für die Bibliothek eine Marx-Ausgabe in russischer Sprache. Am nächsten Tag überwies Salbader fünf Mark auf das Klubkonto. Wir wiesen sie zurück. Obgleich wir prinzipiell jeden Menschen für aufklärbar hielten. Alle Kumpel veranstalteten regelmäßig in den umliegenden Häusern der Schule Aufklärungsabende, zum Teil mit Kulturprogramm. Ich stellte die Programme aus Brecht, Kuba und Liedern für Chor und Schifferklavier zusammen. Kumpel Artus spielte ein hundertzwanzigbässiges Schifferklavier, wenn er die entsprechenden Register drückte, klang das Instrument in Treppenhäusern orgelartig. Die meisten Aufklärungsabende führten wir in Treppenhäusern durch. Der Redner nahm neben dem Fahnenträger Aufstellung, wer nicht sächsisch sprach, galt als Formalist, ich redete nie länger als eine Stunde, forderte dann zur Diskussion auf und erklärte mich bereit, Fragen zu beantworten. Kubatz konnte alle Fragen beantworten. Nach längerem Training gelang mir das auch. Trotzdem wollte ich studieren. Alle Schüler wollten studieren. Die Kumpel waren überzeugt, daß prinzipiell jeder Mensch die Fähigkeit hätte, eine Universität zu besuchen. Ich wußte nicht, was es dort zu studieren gab. Ich glaubte, diese Unkenntnis beruhte auf dem lexikonbaren Haushalt, in dem ich aufgewachsen war, ich genierte mich, Rat einzuholen. Als Erbse einmal im Unterricht beiläufig bemerkte, ihn hätte während seines Germanistikstudiums nicht Sprachwissenschaft, sondern Literaturwissenschaft interessiert, prägte ich mir die merkwürdige Studiumsbezeichnung ein und nannte sie Pavian, als er uns über Ausbildungswünsche befragte. Ich beobachtete mit Genugtuung, daß ihn die Bestimmtheit meiner Äußerung erstaunte. Ich haßte ihn. Er sagte meiner Mutter, ich wäre frühreif. Wenn ich bei Hunger nicht sofort aß, fiel ich um. Ich konnte zehn Kartoffeln essen. Eine Zeitlang erhielt jeder Schüler Schulspeisung in Form eines Brötchens. Wer einen Regenwurm fraß, gewann die Klassenration. Ich gewann zweimal einundvierzig Brötchen. In die Kuppel der Klubwarte hingen wir Transparente mit den Losungen »Erst kommt das Fressen, dann kommt die Moral«, »Die Theorie wird zur materiellen Gewalt, wenn sie die Massen ergreift«, »Wissen ist Macht«, »Glotzt nicht so romantisch« und »Brüder, seht die rote Fahne«. Diese und alle anderen Transparente, die in und an unserer Schule hingen, fertigte ein als Zeichenlehrer angestellter akademischer Maler, der speziell für diese Zwecke eine Schrift entworfen hatte. An der Gestaltung dieser Schrift hatte er mehrere Monate gearbeitet, in denen er uns über den Fortgang der Arbeit unterrichtete und unsere Meinung einholte. Als die Schrift eine Gestalt gewonnen hatte, die nach unserer Meinung genügend Überzeugungskraft ausstrahlte, ließen wir ein Sortiment Alphabete in den Schriftgraden 2, 10, 60, 95, 120, 170 und 225 Cicero herstellen. In 225 Cicero gleich 2700 Punkt gleich 1 Meter großen Buchstaben waren die Losungen der äußeren Sichtwerbung gehalten, manchmal konnte man nicht mehr erkennen, daß unsere Schule aus Klinkern erbaut war. Sie gehörte zu den wenigen schönen Gebäuden der schmutzigen Stadt. Nur sie und das Rathaus hatten den Angriff auf die Innenstadt überlebt. Wenige Monate später legte die Überlebende den Namen Karin Göring ab und den Namen Lenin an. Die Schülerkumpel nannten sich Leninisten. Sie trafen sich täglich nach dem Unterricht unter der Kuppel. Als der Umbau, der mit Fahnentuch, Transparenten, Bettvorlegern, zwei Bücherregalen, zwei Sesseln und vier Stühlen vollzogen wurde, abgeschlossen war, weihten wir den Raum mit einem Klubabend, zu dem Erbse als gefeierter Ehrengast geladen wurde. Wir drehten den Spaltverschluß der halbkugelförmigen Kuppel in den Windschatten und öffneten den Beobachtungsspalt, damit der Machorkarauch abziehen und frische Luft einströmen konnte. Denn der Rundbau war voll, die Sitzgelegenheiten reichten nur für einen Bruchteil der Anwesenden, die das Spiegelteleskop umringten, die meisten saßen auf den von Kumpeleltern gespendeten Bettvorlegern. Erbse saß auf dem Drehstuhl und sprach sächsisch über den Kommunismus. Während seiner Rede blinzelte er von Zeit zu Zeit ins Okular.

Paul ärgerte sich über den gestrigen Tag. Er bezeichnete ihn als verschenkt. Er sagte: »In meinem Alter hat man nichts mehr zu verschenken.« – »Armer alter Mann«, sagte Bele. »Ein vierzigjähriger Physiker ist alt«, sagte er, »in der Nacht vor dem Duell, an dessen Folgen Evariste Galois starb, schrieb er nieder, woran er fast ein Jahr gearbeitet hatte, an den Rand schrieb er: Ich habe keine Zeit. Fünf Monate später wäre er einundzwanzig Jahre alt geworden.« Bele entgegnete, daß ein Gestorbener sich nicht weniger tot fühlte, wenn sein Name mit einem wissenschaftlichen Begriff verbunden dauerte. Paul widersprach heftig. Nachruhm bezeichnete er als die einzige Chance, seinen Tod zu überleben, sozusagen die materialistische Variante der Unsterblichkeit. Auf die religiöse Variante könnte man gegebenenfalls verzichten, nicht auf diese Chance. »Und die optimale Variante wäre, ein Gott zu sein, gib zu, daß du auf die scharf bist.« – »Keineswegs«, sagte Paul, »wer unbegrenzt über Zeit verfügt, hat so gut wie keine. Weil er sie nicht zu schätzen weiß, ewige Jugend produziert nichts als Faulheit, der gescheiteste Gott ist unproduktiver als der dümmste Mensch, ein turbulentes Götterleben ist langweiliger als das langweiligste Menschenleben: Ihm fehlt der Tod. Der Tod ist die Würze des Lebens, er lebe.« Paul ergriff eine Flasche Sonnenschutzemulsion und hielt sie hoch. Er liebte Effekte. Sein Vater Benjamin hatte Empfänge schon barfuß besucht. Theaterempfänge. Eigentlich kannte Bele ihn nur trinkend, essend, rauchend oder singend, zur Gitarre sang er »Floret silva nobilis« und andere Vagantenlieder. Bele fragte sich, wann er die Theaterdekorationen, Gipsfrüchte, antiken Statuen, Fabelwesen und die Mumien aus Pappmaché herstellte, er schien spielerisch zu arbeiten. Paul arbeitete verbissen. Bele bewunderte seine Energie. Sie lüftete ihren kaukasischen Filzhut, den ihr ein Freund von der georgischen Schwarzmeerküste mitgebracht hatte. Der Hut war noch immer steif und ziemlich weiß. Das Modell von Dr. Stolp hing schlaff auf dem Schädel. Stolp benutzte es auch zum Steine-sammeln. Bele sprach die Vermutung aus, daß Stolp als Gott ebenfalls Steine sammeln würde. »Es gibt auch alberne Göt-ter«, sagte Paul. »Und überhebliche Physiker«, sagte Bele. Paul entgegnete, was Helmholtz einem Kollegen geantwortet haben soll, der über die vielen Störungen der wissenschaftli-chen Arbeit geklagt hätte: Gegen diesen Übelstand gibt es nur ein Mittel: Sie müssen vornehm werden.« – »Berühmt«, sagte Bele. »Unsterblich«, sagte Paul. Den Unsterblichkeitstrieb, für dessen Befriedigung riesige Religionsgebäude errichtet worden wären, abzutrainieren, wäre nicht nur unmöglich, sondern auch unökonomisch, weil er den Fleiß und den Ehr-geiz stimulierte. Ohne Ehrgeiz würde nichts Bedeutendes geleistet. »Klatt fehlt Ehrgeiz«, sagte Paul. »Ja«, sagte Bele. Sie lagen auf dem Hoteldach. Paul rauchte Pfeife. Der Rauch stieg auf in Ringen. Langsam. Heißer Wind trug die bläulichen Ringe, die sich ständig vergrößerten und dabei verblaßten, über das Dachgeländer in Richtung Stadt. Das Versatzstück lag ausgeblichen in der Sonne. Paul und Bele lagen im Schat-ten. Unter einem Schirm. Am Stadtrand und auf dem Badefel-sen kostete ein Schirm Miete, auf dem Hoteldach kostete er nichts. Aus dem Eisengeländer, mit dem das Dach umzäunt war, wuchs Rost. »Leider ist es nur wenigen, ehe sie sterben, vergönnt, ein neues Symbol zu schaffen, das der Zeit standhält und für immer im Gedächtnis der Menschen bleibt«, sagte Paul, »Galoissche Gruppe, Galoissches Feld, Galoissche Theorie sind und bleiben geläufige Begriffe; wer sich ehrgeiz-los ins Sterben schickt, ist bereits zu Lebzeiten tot.« – »Schenkst du mir zum Geburtstag einen Sarg?« fragte Bele. »In jeder Epoche gibt es gewisse charakteristische Probleme«, sagte Paul. »Sie beschäftigen die besten Köpfe. Deshalb kommt es vor, daß die gleichen Gedanken zu gleicher Zeit von mehreren Wissenschaftlern ausgesprochen werden.« – »Wenn du das Problem nicht löst, löst es ein anderer«, sagte Bele. »Ja«, sagte er. – »Den ›Tell‹ konnte nur Schiller so lustig schreiben, aber der Formel $m = v \cdot c^2$ sieht man nicht an, daß sie von Einstein stammt.« – »Ja«, sagte er. »Also«, sagte sie. Paul riß die Arme hoch und sprang auf. »Was also?« – »Also findet, sagen wir mal, die nagelneue Theorie über die Struktur der Materie ein anderer, wenn du sie nicht findest.« – »Die Theorie, ja, aber nicht meinen Weg zu ihr«, sagte Paul, »der Weg ist die unverwechselbare Schöpfung des Forschers, schon als achtjähriger Junge nahm ich mir vor, ein Forscher zu werden, seitdem lebe ich mit diesem Ziel.« – »Du lebst nicht, du hetzt.« – »Ich hetze das Ziel«, sagte Paul und paffte Rauch, nicht in Ringen, sondern in Schwaden, noch abends stank Beles Haar nach Nortak, und Paul schmeckte danach. Wenn er arbeitete, schmeckte er nur danach. Er schwor ewige Liebe. Bele sagte: »Auf dieser Welt gibt es keine reversiblen Prozesse.« – »Gut gelernt«, sagte Paul. – »Erst erklärst du mir, warum es auf dieser Welt keine reversiblen Prozesse geben kann, und dann bestehst du auf ewig?« – »Rigorose Gedanken hat man höchstens bis vierzig, das Nobelpreisalter liegt um dreißig, Galois genügten zwanzig, ich hab noch sechs Jahre Zeit.« – »Du gierst nach Ruhm«, sagte Bele. Paul erzählte ihr, daß ihn vor der Abreise ein Vertreter der Gesellschaft zur Verbreitung wissenschaftlicher Kenntnisse besucht hätte, um mit ihm den Termin für einen Vortrag im Werk für Signal- und Sicherungstechnik festzulegen. Beim Abschied hätte er Paul den Rücken geklopft und gesagt: »Naja, junger Wissenschaftler, mußt noch viel lernen, aber du wirst es schon schaffen.« Paul hieb Bele mehrmals seine rechte Hand auf den Rücken. Bele lag auf dem Bauch und aß Tomaten. Sie redete spaßeshalber gern mit vollem Mund. Deshalb sagte sie: »Kopernikus hatte Ruhm nicht nötig. Sein Buch ›De revolutionibus‹ blieb vierzig Jahre unveröffentlicht, er vollzog eine Umwälzung in der Wissenschaft, ohne daß Europa während seines Lebens etwas davon ahnte.« – »Wo hast du das gelesen?« fragte Paul. Bele antwortete: »In diesem Wälzer, den du mit geliehen hast, zwanzig Pfund Vorbilder, du sagst doch immer, daß der Mensch Vorbilder braucht.« – »Ich brauch dich«, sagte Paul. – »Newtons Abneigung gegen Dispute und Streitereien war so groß, daß er sich nur schwer überreden ließ, etwas zu veröffentlichen.« – »Was schert mich Newton«, sagte Paul, »ich rede mit dir.« – »Die optimale Frau zum Zuhören ist stumm«, sagte Bele. »Ich rede immer mit dir«, sagte er. – »Wenn du mit

dir redest, redest du mit mir?« – »Ja«, sagte er. Da waren
seine Füße schon verbrannt. Sie ragten aus der Schatteninsel,
die der Schirm warf, Paul fluchte. Bele lachte. »Kunststück,
dein Newton hat sich auch nicht mit Weibern herumgeplagt«,
sagte Paul. »Kunststück«, sagte Bele. Vor dem Mittagessen
sagte Paul: »Meine persönlichen Verhältnisse interessieren in
hundert Jahren niemanden, nur die Leistung gilt.« Bele
dankte und erzählte, bevor sie sich für den Rest des Tages
verabschiedete, folgende Geschichte:

Wie die Lauben abgerissen wurden

Gut ging mir's, eigne Wohnung, Tür zu und los mit großen
Schritten, zweiter Hinterhof, erster Hinterhof, Straße, Gärten,
acht Stunden kassieren, los los und an den Schrebergärten
vorbei mit ganz großen Schritten, Straße, erster Hinterhof,
zweiter Hinterhof, die Welt ist so groß, wie man sie macht,
meine war ganz groß, Tür zu, mir ging's gut.
Eines Tages fällte jemand einen Baum. Der Baum war ab-
geerntet wie die anderen Bäume auch, die gedrängt in den von
Häusern umringten Gärten wuchsen, eines Tages im Herbst
also, und ich kam vom Dienst und blieb stehen und sah zu, wie
der Baum niedergemacht wurde: ein ebenmäßig gewachsener
mittelstämmiger Apfelbaum. Gestern noch bogen sich seine
Äste unter gelblicher Last. Heute wurden sie abgesägt, einer
nach dem anderen, die dünnen wurden übereinandergehäuft
und angezündet, die dicken wurden zerhackt, zuletzt stand nur
noch der Stamm, sechs Jahresringe vielleicht, die Motorsäge
brauchte für den Torso keine Minute. Als der grüne Schober
von den Flammen gefressen war, ging ich nach Hause. Angekommen, zog ich sofort meine Uniform aus und hängte sie auf
den Rost, einen hölzernen Ausleger vor dem Fenster, gebräuchlich in meiner Stadt als Wäschetrockner, vorzugsweise
für Windelwäsche. Ich schloß das Fenster. Meine Wohnung
roch nach Rauch. Ich lüftete. Mein Haar roch nach Rauch.
Aber mir ging's gut, eigne Wohnung, Tür zu und los zu ihm
mit großen Schritten, zweiter Hinterhof, erster Hinterhof,
Straße, nach wie vor Gärten, die Stunden bei ihm so lang wie
Tage oder Jahre, der Dienst kurz, los los und an den gestutzten
Gärten vorbei mit ganz großen Schritten, Straße, erster
Hinterhof, zweiter Hinterhof, ein Kerl ist so groß, wie man ihn
macht, meiner war ganz groß, Tür zu, mir ging's gut.
In den folgenden Tagen und Wochen fällten die Kleingarten-
besitzer nach und nach fast alle Obstbäume. Nur Bäumchen
und Sträucher wurden, soweit sich dafür Käufer fanden, aus-
gegraben und in Handwagen abtransportiert. Früh schon

parkten Handwagen auf den Straßen rund um die seit Jahren von Häusern belagerte Gartenkolonie. Je mehr sich der Baumbestand lichtete, desto stärker traten die Lauben hervor, gemauerte Häuschen, manche sah ich jetzt zum erstenmal. Jedoch nicht lange, denn die Besitzer saßen schon auf den Dächern, rissen die Dachpappe herunter – die guterhaltenen Stücke wurden zusammengerollt und aufgeladen –, brachen die Dächer auf mit Äxten, vorsichtig, wenn die Balken noch gesund waren, die Balken wurden auch aufgeladen, dann wurden die Wände eingerissen, Ziegelwände wurden abgetragen, die Ziegel geputzt und mit der anderen Abrißware auf Handwagen abgefahren. Oder auf kleinrädrigen Wägelchen, Rollfix genannt, zur Zeit der Bombenangriffe und der Kämpfe um die Stadt gebräuchlich als Wassertransporter. In manchen Lauben hatten Leute gewohnt, meist alte Leute, Rentner. Jetzt hackten sie ihre Wohnung in Scheite, bündelten die und fuhren die Bündel in die Keller der ihnen zugewiesenen neuen Wohnungen. Wenige brannten ihre Lauben nieder. Wenn ich vom Dienst kam, zog ich meine Uniform im Korridor aus und hängte sie raus auf den Rost. Und ich wusch mein Haar jede Woche. Aber der Rauch war nicht mehr rauszukriegen. Nicht aus der Wohnung. Nicht aus den Kleidern. Nicht aus dem Haar.

Ich sagte mir, daß es mir gut ginge, ich hätte eine eigne Wohnung, Tür zu und los mit großen Schritten, zweiter Hinterhof, erster Hinterhof, Straße, ehemalige Gärten, Stunden bei ihm so kurz wie Minuten oder Sekunden, der Dienst lang, los los und an den verwüsteten Gärten vorbei mit ganz großen Schritten, Straße, erster Hinterhof, zweiter Hinterhof, die Liebe ist so groß, wie man sie macht, meine war ganz groß, Tür zu, ich sagte mir, es ginge mir gut.

Wochenlang Hammer- und Axtschläge, zuletzt fielen die Zäune, und die Fledderer kamen. Mit Rädern kamen sie angefahren, auf den Gepäckträgern Säcke, in die stopften sie, was übriggeblieben war: Holzstücke, verrostetes Blech, Ziegel, Blumenstauden. Die einstigen Besitzer lauerten ihnen auf und vertrieben sie und stritten mit ihnen und beschimpften sie, aber sie kamen wieder. Und die einstigen Besitzer kamen auch wieder, sahen zu, wie Kinder über die Beete rannten und aus der jahrzehntelang gehätschelten Erde Geschosse formten und Gefechte austrugen, über Dutzende Parzellen hinweg, sahen wütend zu, wenn das auf fremden Parzellen geschah, wenn es auf der eigenen geschah, schritten sie ein. Nachts wurden Matratzen auf dem Gelände abgeladen, mit blutfarbenen Inletts bezogene. Neben den Lachen schwarze Feuerstätten. Deren Gestank schleppte ich mit mir herum. So ging mir's, als ich eine eigne Wohnung hatte, Tür zu und los mit großen Schritten, zweiter Hinterhof, erster Hinterhof, Straße, Feuerstätten, keine Stunde mehr bei ihm, wenn ich bei ihm war, Tag und Nacht Schaffnerin, los los und an den Blutlachen vorbei mit ganz großen Schritten, Straße, erster Hinterhof, zweiter Hinterhof, der Kummer ist so groß, wie ich ihn mache, meiner war nicht groß, Tür zu, so ging mir's.

Ende Oktober erschien der Bagger. Ein fabrikneues Exemplar, himmelblau gestrichen, die Kinder der benachbarten Krippe wurden täglich einmal in seine Nähe geführt, um ihn bewundern zu können. Sein Greifer stürzte sich auf die übriggebliebenen Bäume, riß sie aus der Erde, schleifte sie, sauste nieder auf Heckenreste, zerstauchte sie, die ehemaligen Besitzer standen weit entfernt vom Bagger, viel weiter als die Kinder, ich stand bei den ehemaligen Besitzern. Wenn der Greifer sich das Maul vollgeschlagen hatte mit Gestrüpp, wurde er hochgewunden, der Ausleger mitsamt dem Führerstandgehäuse schwenkte, das Raupenfahrwerk setzte sich in Bewegung, Erde sickerte durch die Lücken zwischen den Greiferzähnen, das Maul entleerte sich etwa an der Stelle, wo vor einem Jahr um diese Zeit ein Apfelbaum zu blühen begann, ein ebenmäßig gewachsener mittelstämmiger Apfelbaum. Immer an derselben Stelle entleerte sich das himmelblaue Maul, in kurzer Zeit war die Insel kahl und ein grüner Berg zusammengeschleppt, der Fahrer entzündete ihn. Die Flammen loderten meterhoch, Rußteilchen wirbelten durch die Luft, eine braune Wolke stieg auf und verdunkelte vorübergehend die Sonne, die Wolke trieb auf das Häuserdickicht zu, in dem ich wohnte.

Mir ging's dreckig, obgleich ich eine Wohnung hatte, Tür zu

und los mit großen Schritten, zweiter Hinterhof, erster Hinterhof, Straße, Apfelbaumkrematorium, ich bin Schaffnerin, wer ist mehr, los los und am Baugelände vorbei mit ganz großen Schritten, Straße, erster Hinterhof, zweiter Hinterhof, eine Neubauwohnung ist so groß, wie man sie baut, diese würden ganz groß, hieß es, Tür zu, mir ging's dreckig.

Als der Berg niedergebrannt war, begann es zu regnen. Es regnete sieben Tage. Dann klarte der Himmel wieder auf. Das morastige Gelände wurde durch Verbotsschilder markiert. Kinder durchpflügten es mit Gummistiefeln und ließen ihre Drachen steigen. Möwen badeten in den Pfützen, die sich auf den Trassen gebildet hatten. Sobald der Boden etwas abgetrocknet war, ebneten Planierraupen die Insel ein. Wenig später rammten Männer rot-weiß gestrichene Latten in die Erde.

Am Stadtstrand war ein Junge ertrunken. Herzschlag, behauptete Sanitätsrat Kunsch, er wäre zufällig in der Nähe gewesen, seine Frau könnte sich bei Käufen schwer entschließen. Wenn Kunsch seine Teller leergegessen hatte, pflegte er aufzustehen und sich zum Hotelausgang zu begeben, vor dem er so lange hin und her spazierte, bis seine Frau den Kaffee getrunken hatte, er trank keinen Kaffee, sie trank nach jedem Essen Kaffee, Kunsch verbrachte die Wartezeit, indem er seine Hände auf dem Rücken flach übereinanderlegte und die Sandalenabsätze in den Sand des Hotelvorplatzes schlug. Vor dem Laden des Gemischtwarenbeaus lag ebenfalls Sand, der Junge wäre von der Kaimauer gesprungen. Kurz vorher wäre er in Konstantinopel angekommen, raus aus dem Bus und rein ins Wasser, auch Mund-zu-Mund-Beatmung hätte nicht mehr helfen können, berichtete Kunsch. Die Großmutter, bei der der Junge seine Ferien verbringen wollte, soll einen Nervenschock erlitten haben und zum nächsten Krankenhaus abtransportiert worden sein. Als sich Sabine Hauk mit Gas vergiftet hatte, weil sie in der Schule Beatgeschmacks wegen kritisiert worden war, hatte ihre Mutter die Sprache verloren. Ihre Mutter war Schauspielerin. Sabine wollte Maschinenmathematikerin werden. Bruno wollte Kipperfahrer werden. Kipper konnte er noch nicht sagen. Er sagte »Tipper«. Jedes ordentliche Kind will heute Kosmonaut werden. »Kosmonaut oder Physiker«, sagte Paul, wenn er Bruno das lange genug eingeredet hätte, würde Bruno wissen, was er will. Aber Paul dachte meist an 72, da die entscheidenden Kammerexperimente am Beschleuniger in Serpuchow beginnen sollen. Und woran wird er 75 denken? An den übernächsten konkurrenzlosen Beschleuniger. Das Ziel der Hochzeitsreise war das Standesamt. Das Ziel des Standesamtes war die Ehe. Das Ziel der Ehe waren Kinder. Das Ziel der Kinder war der hochmodische Physikerberuf: Das Leben war der Umweg zum Ziel. Vor drei Jahren hatte der Scheidungsrichter gesagt, Bele könnte sich glücklich schätzen, daß ihre Liebe in Freundschaft ausgeartet wäre, Tausende Eheleute würden sie beneiden. Daraufhin begannen Jens und Bele nach Gründen zu suchen, der Scheidungsrichter half. Er brauchte Fakten. Keine Schlägerei, keine Beleidigungen, nicht mal Streit? »Und wann haben Sie den Gevau das letztemal ausgeübt?« – »Heute morgen«, sagte Bele, »zum Abschied heute morgen.« Als Personae immundae wurden Jens und Bele des Zimmers verwiesen. Sieben Monate später betraten sie es als Ehebrecher wieder und wurden geschieden. Danach fuhr Bele nach W. Herr Borstmann oder Porstmann hatte sich mit der Witwe Prumps verlobt. Da er jünger aussah als die Witwe, vermutete die wissenschaftliche Lehrerin, daß die Witwe ein Haus hatte, und fragte Paul: »Haben Sie eine Datsche?« – »Freilich«, sagte der Rektor in Ruhe, »in Berlin haben alle Leute eine Datsche, die es sich leisten können, ein Freund und Kollege von mir fuhr bis zu seinem fünfundsechzigsten Lebensjahr mit dem Fahrrad zum Unterricht, heutzutage fahren Physiker Autos.« Als die Verlobungsfeier beendet war, gegen zehn, Herr Borstmann oder Porstmann pflegte nie nach zehn schlafen zu gehen, als Borstmann oder Porstmann die Feier gegen zehn beendete und sich auf sein Zimmer begab, während seine Verlobte mit den Gästen in der Bar weiterfeierte, hörte Bele zum erstenmal Zikaden. Aber nicht unter einer Pinie. Unter der Terrassenmarkise. Sägegeräusch. Eigentlich nichts. Aber wie. Großes Erlebnis. Bele schrieb ihren Eltern darüber eine Karte. Die dritte. Die erste schrieb sie in Dubrovnik. Das war zu spät. Zumal sie wußte, daß ihre Mutter seit dem Abreisetag auf Post wartete. Solange sie lebte, wartete sie: auf Post, einen Pelzmantel, eine Wohnung, einen Teppich, die Beförderung des Mannes, einen Sohn, das Kriegsende, reine Wolle, Kühlschrank, Waschmaschine, Fernsehgerät, Friedenszeiten und einen Schnitt ihrer Tochter. Die Mutter von Beles Freundin Gerda konnte sagen: Meine Tochter hat einen Architekten geheiratet; und die Mutter von Beles Freundin Christine konnte sagen: Meine Tochter ist Ärztin. Ärztin klang. Taxichauffeur oder Laborantin oder Triebwagenführerin klang nicht, solche Berufe erwähnt man nur aus sachlichen Gründen.

Die Großmutter des ertrunkenen Jungen soll in der Festung gewohnt haben. Die Hauk hatte in ihrem Leben viele Liebhaber verloren. Solche Verluste kann man mit mehr oder weniger großem Aufwand verschmerzen. Pauls Vater hatte auf Beles Brief geantwortet. Acht Seiten lang, für ein großes Wort brauchte er eine Zeile. Paul bezeichnete diese Schrift als Kascheurklaue: mehr scheinen als sein. Einem Beruf, der die Herstellung von Illusionen betrieb, versagte Paul seine Achtung, er hatte sich mit seinem Vater nie verstanden. Seitdem die Eltern geschieden waren, lebte er bei der Mutter, außerdem bewohnte er ein möbliertes Arbeitszimmer, wo er auch Damen empfangen konnte. Die Wirtin war großzügig, wenn ihr die Damen zusagten. Wiebke war im Besitz ihrer Sympathie gewesen, Bele nicht, das hatte den Mietpreis verdoppelt. Nach der Hochzeit wollte Paul eine Wohnung suchen. In der Nähe der mütterlichen Wohnung. In der Nähe des Kais befand sich in mauerbefestigtem Erdreich ein Gewölbe, das mit einer Gittertür verschlossen war. Darin standen zwei handtuchbedeckte Kisten. Auf den Kistenenden, hinter denen je eine Kerze brannte, lag außerdem je ein zusammengewickeltes Handtuch. Die Kisten waren nach Auskunft von Boza Särge zweier Hodschas, die das Meer mit Peitschen geschlagen haben sollen, als einst die Venezianer kamen. »Einst« war Bozas Lieblingswort. Die Züchtigung soll das Meer einst derart erregt haben, daß die Venezianer mit ihren Schiffen die Flucht ergriffen hätten. Aus Dankbarkeit für die Vertreibung der offenbar in Konstantinopel unbeliebten Venezianer wären die beiden Hodschas nach ihrem Tod an dieser markanten Stelle beigesetzt worden. Jede Woche wäre ihnen zu Ehren ein Lamm geschlachtet und an die Armen verteilt worden. Heute schlachtete man nur noch jedes Jahr ein Lamm. Entweder es gab Hammel oder es gab Faschiertes, mittags und abends Faschiertes, die Namen für die Gerichte hatten sich auf der Speisekarte noch nicht wiederholt. Niegelesene Namen bisweilen, heute mittag bestellte Paul Rindstelze. Aufgetragen, erwies sich das Gericht abermals als Bulette, Paul fragte Bele, warum sie nicht in Berlin geblieben wäre. »Weil ich dir in Berlin nicht jeden Abend eine Geschichte erzählen kann«,

sagte Bele. »Und warum spielen deine Geschichten vorzugsweise in kalten Jahreszeiten?« fragte er. Weil es hier so heiß
ist«, sagte sie. – »Und warum ist es hier so heiß?« – Weil die
wissenschaftliche Lehrerin das Wetter vom Sohn bezieht.«
– »Und warum bezieht sie es vom Sohn?« – »Weil sie keine
Tochter hat.« – »Und warum hat sie keine Tochter?« – »Weil
sie öffentlich Wein predigt und heimlich Wasser trinkt.«
– »Und warum predigt sie öffentlich Wein und trinkt heimlich
Wasser?« – »Weil sie eine gebürtige Deutsche ist.« – »Und
warum ist sie eine gebürtige Deutsche?« – »Ja«, sagte Bele.
Paul erschien bemerkenswert, daß Bele noch keine Geschichte
erzählt hatte, die sich mit ihren Berufen beschäftigte, Bele
entgegnete, sie erinnerte sich ungern ihrer Berufe, Paul erwiderte, das Schaffnermilieu wäre unergiebig, abends verlangte
er eine Geschichte über Konstantinopel. Bele erzählte ihm
folgende Geschichte:

Pferdekopf

Der Rat des II. Stadtbezirks von Konstantinopel arbeitet in einem Hochhaus. Das hat im letzten Stockwerk eine Terrasse und einen Stall. Im Stall steht ein kleines geflügeltes Pferd. Gegen Vorlage des Personalausweises kann man es mieten. Der Pferdeverwalter, der in einer Loge neben der Stalltür sitzt, hat im Falle der Vermietung Ausweisnummer, Namen und Adresse des Interessenten sowie Datum und Zeit der Ausgabe und Rückgabe mit Tinte in ein großes Buch zu schreiben.

Aber nur selten fuhr jemand mit dem Lift bis ins zwanzigste Stockwerk. Der Tintenvorrat vertrocknete. Das Buch vergilbte. Der Pferdeverwalter schnarchte. Die Dichter gingen zu Fuß.

Bei der Jahresendabrechnung entnahm der Buchhalter dem Bericht des Pferdbuchprüfers, daß das Tier für die Summe, die es in Form von Heu und Hafer gefressen, lediglich Pferdeäpfel geliefert hatte. Da sich der Buchhalter außerstande sah, diese Kulturleistung zu verbuchen, beauftragte er den Pferdeverwalter, schnellstens einen Verbesserungsvorschlag für eine intensivere Auslastung des Tieres an den Rat des II. Stadtbezirks zu richten. Der Pferdeverwalter, dessen geistige Kräfte durch eine beinahe dreivierteljährige Schonung erschlafft waren, suchte, während sich das kleine geflügelte Pferd auf der als Koppel dienenden Hochhausterrasse auslief, verzweifelt den Himmel ab. Nach einem Zeichen, das ihn zu einer Idee inspirieren könnte. Eines Tages fielen ihm beim Suchen die Augen zu. Als er wieder aufwachte, war Nacht. Da entdeckte er am nördlichen Himmel ein Sternbild mit dem Hauptstern Markab und den Sternen Algenib, Enif und Scheat, das dem kleinen geflügelten Pferd ähnlich sah. Verblüfft rieb er sich das Kinn mit dem linken Handrücken. Schabgeräusch. Gefühl, als ob er über eine Bürste striche. Gedankenblitz. Der Pferdeverwalter ging in seine Loge und brachte den Gedankenblitz in Form eines Verbesserungsvorschlags zu Papier. Der Vorschlag wurde eingereicht, gestempelt, gelagert, geprüft, diskutiert und einstimmig angenommen. Dann wurde er zu einer Verordnung verarbeitet. Die Verordnung trat am ersten April fünf Uhr mitteleuropäischer Zeit in Kraft. Drei Viertel fünf führte der Verwalter das inzwischen von ihm für seine neue Tätigkeit abgerichtete Pferd auf die Terrasse und erläuterte ihm anhand eines Stadtplans, der mit Zahlen beschrieben war, in welcher Reihenfolge er seine Arbeit durchzuführen hätte. Pünktlich um fünf breitete das kleine Pferd wiehernd seine Flügel und startete von der Terrasse des Hochhauses. Aufwind, das kleine Pferd gewann spielend an Höhe, das rote Haar von Schopf, Mähne und Schweif wehte beinahe senkrecht ab vom Körper und erweckte die Illusion, als stünde er in Flammen, in vierhundert Meter Höhe kreiste das Tier dreimal über dem Stadtzentrum und warf einige Pferdeäpfel ab, dann verkleinerte es die Flügelfläche um die Hälfte, sank, in fünfzig Meter Höhe streckte es die Beine, die während des Fluges an den Leib gezogen waren, in zehn Meter Höhe krümmte es die hinteren Flügelränder und landete schließlich vor dem Haus, das auf dem Stadtplan mit Ziffer eins versehen war. Es klopfte mit dem rechten Vorderhuf dreimal gegen die Wohnungstür des ersten Kunden. Ein Herr im Schlafrock öffnete. Obgleich er von der bevorstehenden Dienstleistung schriftlich unterrichtet worden war und durch eigenhändige Unterschrift sein Einverständnis mit dem zunächst für die Dauer von vier Wochen laufenden Vertrag erklärt hatte, benahm er sich ungeschickt. Statt den Hinterkopf in den Nacken zu legen, preßte er kichernd ein Unterkinn heraus. Trotzdem weidete das kleine Pferd in kürzester Frist und ohne jede Beschädigung der Haut alle Bartstoppeln ab. Bis Mittag hatte das kleine Pferd hundertzweiunddreißig Bärte abgeweidet. Seine Höchstkapazität pro Stunde lag bei neunzehn starken oder siebenundzwanzig schwachen Bärten. Um den Kunden die Umstellung zu erleichtern, erzeugte das kleine Pferd durch schnelles Reiben der verhornten Flügelenden an den Flanken einen Summton, der dem Mähmaschinengeräusch angeworfener Trockenrasierer ähnelte.

Wie jede Neuerung war auch die Pferderasur anfangs vielen

Anfeindungen ausgesetzt. Ärzte bezeichneten sie als unhygienisch. Hausfrauen protestierten wegen der Hufspuren in den Wohnungen. Großväter meinten, Rasierpferde hätte es früher auch nicht gegeben, und wer zu faul wäre, sich mit dem Messer, wie es sich gehöre, den Bart zu schaben, der solle ihn stehen lassen. Aber gerade zur Bekämpfung dieser Unsitte, die wie alle Unsitten, eingeschleppt wurde, hatte der Rat des II. Stadtbezirks die kostenlosen Einsätze des kleinen Pferdes organisiert. Die ersten Kunden, Mitarbeiter des Rates, hatten sich selbstverpflichtet. Bald meldeten sich jedoch auch Freiwillige. Und bereits vor Ablauf des Probemonats erfreute sich das Unternehmen eines regen Zuspruchs aus den Bevölkerungskreisen. Viele Ehemänner, denen niemand mehr um den Bart ging, benutzten die Einrichtung zweimal täglich. Als bekannt wurde, daß Pferde dieser Rasse früher von Dichtern geritten wurden, ließen sich auch einige Damen ihre Bärte abweiden. Heute bestellt jeder ordentliche Mann des II. Stadtbezirks das geflügelte Pferd, bevor er ins Theater geht. Da Konstantinopel mehrere Theater hat, von denen manche nicht selten ausverkauft sind, ist das Leben des kleinen geflügelten Pferdes ganz ausgefüllt von seiner neuen Aufgabe. Die Dichter gehen zu Fuß.

Regentag. Gegen Abend klarte es auf. Paul und Bele beschlossen, den Tag mit dem Besuch einer Volkstanzensembledarbietung zu beenden. Das Ensemble trat im Freilichtkino auf. Paul und Bele saßen in der zweiten Reihe. Bele hatte die Stühle mit einem Taschentuch abgetrocknet. In den Gängen standen Pfützen. Der rote Stoff, mit dem der Unterbau des Bühnenpodests verkleidet war, hatte dunkle Flecken. Von Mimosenzweigen, die über die Mauer in den Bühnenraum ragten, schüttelte der Wind Wassertropfen. Auf der Bühne Tänze sämtlicher föderierter Völker Jugoslawiens, vorwiegend schnelle, Temperament wurde vorgezeigt und bunte Trachten, die Zuschauer honorierten nur die schnellen Teile der schnellen Tänze mit Beifall. Bele machte Paul auf die geschickten Beine der Männer aufmerksam, Paul machte Bele auf die geschickten Beine der Frauen aufmerksam und legte seine rechte Hand auf ihr linkes Knie. Zum Abschluß des Programms zeigte das Ensemble als Aufmerksamkeit für die in Konstantinopel lebende albanische Minderheit eine albanische Hochzeit. Viele Hochzeitsgäste, die tranken, aßen, tanzten und ständig lachten. Nach einer Weile wurde eine tuchüberdeckte Person von zwei Männern hereingeführt: die Braut. Hinter der Braut ging gebückt ein Mädchen, das mit dem Ordnen der Brautrockfalten beschäftigt war. Die Braut wurde in einer Ecke abgestellt. Die Hochzeitsgäste richteten ihre Aufmehrksamkeit wieder auf Wein, Braten und Tanz, wobei sie jauchzten. Später fand ein Junge in einer Tanzpause Zeit, das Tuch, das die Braut von Kopf bis Fuß abdeckte, mit einem Säbel wegzuheben. Nunmehr konnte die Hochzeitsgesellschaft die Braut besichtigen, nicht umgekehrt. Die Hochzeitsgesellschaft saß, wenn sie nicht tanzte, die Braut stand, bis zum Ende der Hochzeit, die auf der Veranstaltung eine halbe Stunde, in Wirklichkeit jedoch, wie Boza versicherte, einige Tage dauerte. Die Braut mußte unter den essenden, tanzenden, jauchzenden Gästen gesenkten Kopfes stehen und auf

den Boden starren. Das Mädchen ordnete bisweilen die Rock-
falten und fächelte ihr mit einem Tuch Luft zu. Der Bräutigam
zeigte sich gegen Ende der lustigen Feier. Er steckte der Braut
etwas in den Mund, das sie wieder ausspie, und trat ihr auf den
Füßen herum. Die Besichtigung des blutigen Tuches durch die
Hochzeitsgäste wurde nicht gezeigt. Das vollgesogene Stuhl-
holz hatte Beles Kleid geklammt, auf dem Heimweg lieh Paul
ihr seinen Sakko, der reichte ihr bis zum Knie, sie fror trotzdem.
Die Luftfeuchtigkeit erweichte den Haarlack, in W. hatte Bele
klebriges Haar gehabt, sooft sie im Park oder im angrenzen-
den Wald spazierengegangen war. Der verwilderte Park war
nicht groß. Er schloß sich an die Westfront des Schlosses an, in
Prag gab es viele Schlösser, vielleicht vermißte Paul was. Die
Ostfront mit dem Eingangsportal war der Dorfstraße zuge-
kehrt. Die Parkbäume waren überaltert. Unter den morschen
Linden, Buchen und Eichen war der Boden mit Grasbüscheln,
faulem Laub und Baumfrüchten bedeckt. Hier und da Unter-
holz. Dürres Astwerk. Bemooste Blumenkübelsockel. Pilze.
Der Park war im barocken Stil angelegt: Allee, Rondell,
Treppen, die von der Allee, dem Teich und der gegenüberliegenden Orangerie zum etwa einen halben Meter tiefer liegenden Rondell führten, große Schloßfreitreppe, vor dem Teich
und der Orangerie Statuen. Götter und Halbgötter gemischt,
Ceres fehlte eine Brust, Apollon das Geschlecht, Athene der
Kopf, er lag bemoost neben ihren Füßen. Alle Statuen waren
bemoost, das gab ihnen ein wertvolles Aussehen. Vor den
Statuen, die auf hohen Sockeln mit quadratischer Plinthe
standen, waren tönerne Blumenkübel aufgestellt, auf Sockeln
mit runder Plinthe. Die Kübel waren mit Geranien, Begonien
und blühendem Efeu bepflanzt, der hing verschiedentlich bis
zum Sockel. Den Weg hinter dem Rondell, der die Lindenal-
lee rechtwinklig kreuzte, flankierten einige Gartenvasen, die
ebenfalls auf hohen Sockeln standen, auch hier waren einige
Sockel leer. Dieser Querweg hatte hinter der Orangerie durch
ein beiderseits verlaufendes Balustradenstück einige Meter
brückenartiges Aussehen, hinter dem Teich säumten ihn Müll-
haufen. Bele war stets den Querweg entlanggeritten, hatte
Moritz dann auf einen Weg gelenkt, der an LPG-Gebäuden

entlangführte und in einen Waldweg mündete, Kiefernwald. Zurück auf der Hauptallee, die von einer verwitterten Pluto-Statue eröffnet wurde. Pluto stand mit dem Rücken zum Wald, der rechte Arm, bis zum Ellenbogen abgebrochen, zeigte Armierung, Bele hatte die Wunde mit einem Strauß Wollgras geschlossen. Die Mauern der überhohen Alleebäume gewährten einen Blick auf das Schloß, der schmaler war als die Freitreppe, der Feldbaubrigadier sagte, 45 hätten die Bauern das Schloß abreißen wollen. Der Feldbaubrigadier war ein großer rothaariger Mann mit erstaunlich blauen Augen, solche Augen hatte Bele noch nicht gesehen, sie mußte immer wieder reinsehen: türkisblau. Er hatte Bele zum Ernteball eingeladen, aber sie hatte sich nicht hingewagt. Vom Toilettenfenster aus hatte sie die Tanzenden in der erleuchteten Orangerie einige Zeit beobachtet und der Musik gelauscht. Die männlichen Besucher des Vergnügens, das der Dorfklub veranstaltet und in der Bezirkszeitung angezeigt hatte, waren überwiegend Armeeangehörige, es dauerte bis vier. In Prag hätte Paul vielleicht jeden Abend den Kneipen der Kleinseite einen Besuch abgestattet, solange das Taschengeld gereicht hätte, Prag wäre eine billige Hochzeitsreise gewesen, man muß nehmen, was man kriegt. Zum Frühstück tauschten die Schloßgäste Reden über Schlaflosigkeit und andere Qualen aus. Als Bele ihre in Scheiben geschnittenen und auf Zeitungsbogen getrockneten Pilze wieder in die Orangerie trug, roch die nach kaltem Tabakrauch, Bier, Maisblättern und Stroh. Zwischen den Fenstern hingen noch einige mit Maispflanzen besteckte Strohballen, die übrigen hatte der Feldbaubrigadier bereits mit Nora abtransportiert. Während des Aufladens hatte Nora Gras abgeweidet, das unter den rot blühenden Rosenbäumen vor der Orangerie wuchs. Der Rasen des Rondells war höher als die in seine Mitte gepflanzten Studentenröschen, eines Abends nach Einbruch der Dunkelheit mähte der Feldbaubrigadier diesen Rasen und die Studentenröschen sowie den Rasen vor der Ostfront des Schlosses mit einer scheinwerferbestückten Mähmaschine. Der Verwalter und seine Frau waren vier Tage mit Heuwenden beschäftigt. Bele konnte ihnen vom Fenster ihres Zimmers aus zusehen. Es war im Erdgeschoß gelegen, mit modischen Kunstgewerbemöbeln ausgestattet und sehr groß. Nach dem Abendessen, wenn es still wurde im Schloß, noch stiller als tagsüber, schaltete Bele die in der linken Zimmerecke stehende Lampe an und setzte sich in die Lichtinsel. Und las. Und ärgerte sich über den Unfall, der die Fahrerlaubnis gekostet hatte. Und dachte: Nie wieder Taxifahrer. Manchmal stand sie auf und betrachtete sich im Spiegel, der in die beige gestrichene Wandtäfelung eingebaut war, ein türhoher Spiegel. Manchmal ging sie durch die mit Kokosläufern belegten, erleuchteten Gänge – bis zehn waren alle Gänge erleuchtet, dann löschte der Verwalter das Licht und verschloß das Eingangsportal –, schaltete im großen Speisesaal den Kronleuchter und das Radio an, setzte sich auf einen Biedermeierstuhl, betrachtete die goldbeschlagenen Barockkommoden und hörte etwas Beat oder Jazz. Bis nebenan in den Ohrensesseln des Fernsehraums sitzende Gäste sich über die Lautstärke beklagten. Manchmal ging Bele auch in den im ersten Stock gelegenen Leseraum, sah sich die Geheimfächer im Biedermeierschreibschrank an, roch seine Ausdünstungen und hörte auf das Knarren der Dielen. Am vierzehnten Tag ihres Aufenthalts in W. beschloß sie, Schaffnerin zu werden. Gleich nach ihrer Heimkehr wollte sie sich bewerben, sich sofort anlernen lassen, Tag- und Nachtdienst, pro Dienst Tausenden Fahrgeld abnehmen, Hunderte Gesichter sehen, unzählige Kilometer mit Menschenmassen fahren: sie reiste vorzeitig ab. »Übermorgen reisen wir«, sagte Bele zu Paul, als er ihr Zimmer aufschloß. Später erzählte sie ihm folgende Geschichte:

Saldo

Um neun machte sich Oskar P. auf den Weg zum Friedhof. Mit kleinen Schritten, tappend, die linke Vorderhälfte des aufgeknöpften Mantels bauschte der Wind und drückte den verschossenen Stoff gegen die Gießkanne, die Oskar P. trug, wobei er den rechten Arm als Gegengewicht gestreckt abwinkelte. Die Kanne war etwa einen viertel Meter hoch, wasserleer, in der halbkreisförmigen Öffnung steckten Astern. Leute, die an Oskar P. vorbeigingen, schien er nicht zu bemerken, nur einmal erwiderte er einen Gruß, indem er Zeige- und Mittelfinger der rechten Hand an den breitkrempigen Hut führte. Wer vom Fenster aus auf Oskar P. herabschaute, sah den Hut, den abstehenden, beim Gehen sich horizontal bewegenden Hosenbund, Arme und die blumengefüllte Kanne. Der Friedhof lag an derselben Straße, die Oskar P. vor mehr als dreißig Jahren unter seinen Namen, die Berufsbezeichnung und den Namen der Stadt in einen Stempel hatte schneiden lassen. Der Stempel, inzwischen etwas schadhaft, wurde seit dem Tode der Frau nur noch für private Zwecke benutzt. Mit ihm war zum Beispiel der Auftrag an den Steinmetzen gesiegelt worden, einen zwei Meter zwanzig breiten und ein Meter achtzig hohen Grabstein aus schwarzem Granit, hochglanzpoliert, mit eingraviertem Text herzustellen. Oskar P. benutzte den Osteingang des Friedhofs, der vergoldete Text, anfangs zu Bändern geronnen, die das Sonnenlicht spiegelähnlich reflektierten, fällte langsam Worte, dann Buchstaben aus, als der alte Mann vor der mit einer Kette versperrten Grabstelle stand, las er, was, trotz des Widerstands der Friedhofsverwaltung in Stein gehauen und mit echtem Gold belegt, bereits von weitem unübersehbar sich heraushob aus der Uniformität der Inschriften. Er stand eine Weile, dann drückte er mit ruhiger Hand das Kettenende aus dem Haken, legte es auf eine der beiden den Eingang markierenden Graniturnen und betrat den Kies. Knirschen unter den Sohlen, strenger Geruch, den die Wacholderhecke verströmte, Windstille. Oskar P. zählte die Vasen, die vor dem Grabstein in den Kies gestochen waren. Er zählte neun. Auch die Sträuße waren vollzählig. Er zog den rechts außen stehenden Strauß aus der Vase, schüttete das in ihr verbliebene gelblichtrübe Wasser über die Hecke und paßte die mitgebrachten Astern ein. Dann holte er Wasser. Neben dem Hahn standen etliche Gießkannen, deren versperrte Füllöcher sich erst öffneten, wenn ein Groschen in den Schlitz eines sparbüchsenartigen Auswuchses neben dem Bügelhenkel gesteckt wurde. Oskar P. füllte die eigene Kanne. Jeden Morgen um diese Zeit füllte er die schwere, grüngestrichene Kanne, aus deren Nähten Rost wuchs. Dann tappte er zurück auf gräbergesäumten Wegen, musterte, ohne den Kopf zu senken oder zu drehen, die Bepflanzungen, Gottesauge, Männertreue, Pelargonien, Rosetten, Vasen mit Schnittblumen, aber neun Vasen auf einem Grab nirgends. Auch die Grabstelle war größer als alle anderen. Oskar P. hatte seiner Frau die teuerste Grabstelle gekauft. In der linken Hälfte der Grabstelle der blumenbepflanzte Hügel, in der rechten die Bank, auf der sich Oskar P. niederließ, sobald er den Schnittblumen frisches Wasser gegeben und den Hügel begossen hatte. Natürlich blieben Unkrautspitzen zwischen den Teppichbeetpflanzen nicht unbemerkt, wenn er nachmittags wiederkommt, hat er zu jäten. Jeden Morgen brachte er Blumen und Wasser, und jeden Nachmittag jätete er. Teppichpflanzen brauchten Pflege. Elisabeth P. hatte sich immer einen Teppich fürs Wohnzimmer gewünscht. Die Tochter hatte sich, ohne zu fragen, einen Sessel gekauft. Sie arbeitete als Sekretärin in einem Maschinenbaubetrieb. Für sie war der Vater Obersekretär. Die Wäsche ließ sie in einer Wäscherei waschen. Oskar P. war froh, wenn er seine Tochter nicht sah. Bei schönem Wetter verbrachte er vormittags drei und nachmittags vier Stunden auf dem Friedhof. In der kalten Jahreszeit oder wenn es regnete machte er sich zwar auch pünktlich neun beziehungsweise vierzehn Uhr auf den Weg, verweilte aber nur jeweils eine Stunde am Grabe seiner Frau. Heuer hatte der Spätherbst jedoch überraschend milde Tage gebracht, Oskar P. konnte, ohne die Beine in eine Decke hüllen zu müssen, auf der Bank sitzen und an Elisabeth denken. Sie hatte nie vergessen, daß er kurz vor der Beförderung zum Amtmann gestanden hatte. Da er als Steuerrevisor, nach 45 als freischaffender Steuerberater, ständig Zahlen im Kopf behalten mußte, hatte Elisabeth ihm die Schuhe morgens zu- und abends aufgeschnürt. Manchmal allerdings war sie unbeherrscht gewesen, zum Beispiel erinnerte er sich, wie er eines Abends am Radio gesessen hatte, um Nachrichten zu hören, es war entsprechend still im Zimmer gewesen, plötzlich hatte die Tochter etwas gewispert, und gleich darauf war Elisabeth in Gelächter ausgebrochen. Aber sonst war Elisabeth eine wunderbare Frau gewesen. Oskar P. hatte in den letzten zwanzig Jahren seiner Ehe mit ihr fünfzigtausend Mark sparen können. Bisweilen zweifelte er, ob es gut war, das Grab täglich zu gießen. Für die Blumen war es gut, aber für den Sarg? Wasser beschleunigt die Fäulnis des Holzes, würde man ihm glauben, daß er es gut meinte? Die Sonne brachte Flecken getrockneter Wassertropfen auf dem blanken Granit zutage, Oskar P. zog einen Wollappen aus der Manteltasche und polierte, indem er die Flecken behauchte, bis sie verschwunden waren. Mit einem Baumwollappen, den er ebenfalls ständig bei sich trug, wischte er vorsichtig den Staub aus den Ritzen der eingemeißelten und mit Gold belegten Schrift. Fraktur fett. Über dem Namen stand: »Geliebt und unvergessen.« Darunter: »Dem Auge fern, dem Herzen ewig nah.« Die Friedhofsverwaltung wollte »ewig« nicht zulassen, weil nur Gott ewig wäre, Oskar P. hatte als Feldwebel im ersten Weltkrieg noch ganz anderen Leuten das Laufen beigebracht. Ohne viel Rederei. Er sprach überhaupt selten. Früher gelegentlich mit Elisabeth, nie mit den Hausbewohnern. Nach dem Tode der Frau hatte er mit der Nachbarin die ersten Worte gewechselt. Neulich hatte er ihr erzählt, daß er kurz vor der Beförderung zum Amtmann gestanden hätte. Solange Elisabeth noch lebte, hatte er die neue Obrigkeit lediglich gehaßt. Jetzt war sie ihm unerträglich. Am liebsten wäre er überhaupt nicht mehr nach Hause gegangen. Sogar am Tage, wenn die Tochter in der Maschinenfabrik arbeitete, war ihm die Wohnung verleidet. Neuerdings trug sich die Tochter mit dem Plan, eine Witwe, die gelegentlich als Reinigungskraft arbeitete, zu beschäftigen, bezahlte die Frau überhaupt Steuern? Sie verlangte eine Mark zwanzig für die Stunde, Kaffee und Kuchen. Oskar P. verzehrte jeden Mittag zwei Brötchen und einen halben Liter Milch. Er führte Buch über seine täglichen Ausgaben und die seiner Tochter. Dabei hatte er entdeckt, daß sie sich Blumen kaufte. Zur Rechenschaft gezogen, behauptete sie, andere Sekretärinnen hätten auf ihren Schreibtischen auch Blumen stehen. Und da niemand ihr welche schenkte, müßte sie sich welche kaufen. Elisabeth hatte zeit ihres Lebens nie Blumen geschenkt bekommen, aber ihr wäre nicht eingefallen, Geld für Blumen wegzuwerfen. Bisher hatte Oskar P. das Schlimmste verhindern können, was aber würde mit den fünfzigtausend Mark geschehen, wenn er tot war? Zehntausend Mark wollte er testamentarisch der Kirche vermachen – ob das reichte? –, blieben vierzigtausend Mark. Seine Tochter war Universalerbin. Würde es ihm schaden, wenn er sie enterbte? Mutterliebe war unberechenbar. Auch seine ehemaligen Kunden, die ihm gelegentlich noch einen Korb Äpfel oder eine Wurst schickten, konnten ihm da sicher nicht raten. Alte Kunden, vor 45 hatte er ihre Geschäftsbücher revidiert, nach 45 hatte er ihnen geholfen, die Bücher revisionssicher zu führen, in diesem Sommer weilte er auf Einladung eines vormals hiesigen Grossisten vier Wochen in Frankfurt am Main und erholte sich. Jetzt stand der Hosenbund wieder ab vom Bauch, Milch und Brötchen waren kein Mittagessen für einen Mann. Die Tochter kümmerte das nicht, wenn sie bestimmen dürfte, säße er jeden Tag im Restaurant. Schlimme Zeiten, und bald kam der Winter. Im Winter wuchsen keine Blumen für Elisabeth auf dem Beet hinterm Haus, da mußte Oskar P. mit leeren Händen vor dem Grab stehen, Wochen, Monate gingen dann tatenlos dahin, und Oskar P. hatte nicht mehr viel Zeit. Er war siebenundsiebzig Jahre alt, hatte am zweiten Weltkrieg schon nicht mehr voll teilgenommen. Nur etwas Volkssturm. Seine Ulanenuniform hing unversehrt im Schrank. In einem mottensicheren Sack aus Plastikfolie, den Elisabeth noch kurz vor ihrem Tode genäht hatte. Sie starb an Brustkrebs. Würde er sie wiedersehen? Die Sonne beschien ihr Grab, das Oskar P. dreimal im Jahr vom Friedhofsgärtner bepflanzen ließ, das

Abdecken mit Reisig für den Winter nicht gerechnet. Oskar P. ließ mit Silbertanne abdecken. Zu beiden Seiten des Grabes ließ er Eisengestelle aufstellen, die mit Kränzen aus künstlichem Lorbeer, Wachsblumen und Zapfen besteckt waren. Die Kränze erneuerte er monatlich. Er fragte sich, ob das oft genug wäre. Er fragte sich, wen sonst sollte er fragen? Er hatte kurz vor der Beförderung zum Amtmann gestanden? Und er saß hier. Und lauschte den Aufschlägen der Kastanien, die der Wind von den Bäumen riß. Den Grabstein konnten keine Kastanien befallen. Der stand frei und weithin sichtbar, er war die teuerste Anschaffung, die Oskar P. in seinem Leben gemacht hatte. Kenner sahen den Wert. War Elisabeth ein Kenner? Manchmal hatte sie heimlich Kuchenkrümel an Spatzen verfüttert. Jetzt saßen wieder welche auf ihrem Grab. Oskar P. ließ sie sitzen. Und zählte die Vasen. Und fragte sich. Und fror. Hockte frierend auf der Bank, Stunde um Stunde, bis die Kirchenuhr zwölf schlug. Dann machte er sich auf den Weg zum Konsum, zwei Brötchen und eine Flasche Milch zu kaufen.

Eilbrief von Brandis. Er schrieb, Klatt läge im Krankenhaus, ob Paul den Vortrag in Budapest übernehmen könnte. Paul telegrafierte zurück und begann zu schreiben. Bele ging auf der Straße spazieren, die durch die Stadt und den Küstenwaldstreifen führte. Kiefernwald, viel Windbruch, ein Feriengast des Schlosses hatte dem Wald die Bezeichnung Forst abgesprochen, Sandwege. Die schönsten Pilze hatte Bele an den Wegrändern gefunden. Birkenpilze, zwei kapitale Steinpilze, Fliegenpilze mit Hutdurchmessern bis zu vierzig Zentimeter, Knollenblätterpilze. In den Wäldern rund um das Schloß wuchsen so viele Knollenblätterpilze, daß man mit ihnen Völkerschaften hätte vergiften können. Die Bauern von W. sammelten nur Pfifferlinge. Auf Rädern oder Motorrädern fuhren sie zu den Mischwäldern und ernteten Pfifferlinge kartoffelkorbweis. Sonntags. Wochentags traf Bele fast nie Menschen im Wald. Nur Eichelhäher, Eichkatzen, Hasen, bisweilen Rehe. Wildfährten querten die Wege, vorzugsweise Wildschweinfährten. In ein am Waldrand gelegenes Maisfeld mit übermannshohen Pflanzen waren Schneisen getreten, abgenagte Kolben lagen am Feldrain. In den Sand der Feldwege waren Reifenprofile geprägt, Bele trat nicht auf die Bänder. Die Zwillingsdamen, die mit ihr den Tisch teilten, rieten ihr, langsamer zu essen, sie stellte ihren Liegestuhl vor die Teichbalustrade, dort konnte sie die Treckergeräusche deutlich hören. Wenn sie nach dem Abendessen auf der Landstraße spazierenging, standen niedrige braune Wolkenschwaden über den gepflügten Feldern. Wenn sie Glück hatte, war die Wolkenproduktion noch im Gange, sie dauerte bisweilen bis zweiundzwanzig Uhr, da war es finster wie nie in der Stadt. Bele sah sich mitunter die Finsternis an mit der Lampe drin. Die Lampe war natürlich ein Scheinwerfer, ein großer Scheinwerfer vielleicht gar, aber in dieser Finsternis, die keine Stadt hat, war selbst der Mond eine Lampe. Das Schloß war auch von bescheidener Art, Rokoko, vor der Ostseite standen rechts Kapelle und Glockenturm und links Wirtschaftsgebäude und Stallungen. In den aus Hartziegeln erbauten Wirtschaftsgebäuden wohnten LPG-Bauern, in den Stallungen standen ihre Autos, Motorräder und Kühe. Der Feldbaubrigadier fuhr einen Trabant-Kombi. Er wohnte am Ortsausgang in einem Fachwerkhaus mit Dahliengarten. Beim Abschied schenkte er Bele einen Strauß Dahlien der größten Sorte, Blütendurchmesser bis zu dreißig Zentimeter, die Stiele waren ebenso lang. Zum Kaffeetrinken auf der Schloßterrasse ließ er sich nicht einladen, weil er Freiherren ablehnte. Der letzte Freiherr war 41 gestorben. Die Stiftung hatte reibungslos in die Hände des Volkes überführt werden können, aber die türkisblauen Augen des Feldbaubrigadiers betrachteten den Bau mit Verachtung. Der Brigadier war vielleicht fünfundzwanzig Jahre alt. Die Zwillingsdamen, mit denen Bele den Tisch teilte, waren achtundsechzig Jahre alt. Sie glichen einander nicht nur von Angesicht und Wuchs, sondern konnten den Ersatzteilcharakter der Erscheinungen auch in der Bekleidung wiederholen. Sie aßen am liebsten Quarktorte. Gegen fünfzehn Uhr, nach Beendigung der Mittagsruhe, begaben sich die Schloßbewohner auf die Terrasse, um den Nachmittagskaffee einzunehmen. Die Sandsteinplatten, mit denen die Terrasse belegt war, hatten Moosbewuchs, ein betagter Herr wäre beinahe darauf ausgerutscht, die von vielen Gästen unterstützte Beschwerde beantwortete der Schloßverwalter, indem er die Steinplatten mit Salzsäurelösung säuberte. Die Gäste dankten es ihm, indem sie den von seiner Frau gebackenen Torten tüchtiger zusprachen, Bele aß nicht mehr auf der Terrasse. Der Salzsäuregeruch aromatisierte die Speisen. Nach jedem Mahl fütterten die Feriengäste das Teichgeflügel. Schwäne, Enten und Bleßhühner machten sich auf den Weg, sobald sich eine Person der Balustrade näherte, die Anhänglichkeit der Tiere wurde günstigenfalls mit Torte belohnt. Die Teichbalustrade war schadhaft wie die anderen Balustraden auch, hier war ein fehlendes Stück durch Zaunlatten ergänzt, ein großes Sortiment neuer Balustraden und Brüstungsteile lagerte in der Nähe der Orangerie, bemoost. Während der zweieinhalb Wochen, die Bele in W. verbrachte, hatten sich

Handwerker im Schloß und an der Orangerie zu schaffen gemacht. Auf das Dach der Orangerie hatten sie einen Schornstein aus roten Ziegeln gebaut, der überragte die Vasen. Sie waren im Gegensatz zu den Steinvasen, die auf der Terrassenbalustrade und auf Sockeln im Park standen, nicht mit Blumen, sondern mit Drapierungen geschmückt, die gaben ihnen das Aussehen von Helmen mit geschlossenem Visier. Die Maurer hatten ihre Kalkkiste auf dem Orangeriedach stehengelassen. Neben dem linken Eingang der Orangerie stand ein schadhafter Silen mit dem Gesicht zur Wand. Vor dem Fenster von Beles Zimmer lagerte eine Lastwagenfuhre Briketts. Der Schloßverwalter und seine Frau fegten täglich dürre Lindenblätter von dem Weg, der das Rondell umlief. Die Küchenfrauen beklagten die Fliegen- und Wespenplage. Wenn Bele im Wald spazierenging, war sie von Fliegenschwärmen begleitet. Die ließen sich vorzugsweise auf den sonnenbeschienenen Teilen der Kostümjacke nieder, die Kleider mußten bereits wieder mit Jacken oder Mänteln verhängt werden. In den Kiefernschonungen blühte das Heidekraut. Morgens und nach Regen machten winzige Wassertropfen dichtes Spinnengewebe sichtbar, das im Heidekraut verspannt war, unzählige Quadratmeter Spinngewebe. Vereinzelt ragten Kiefernspitzen aus einem Wollgrasfeld. Wenn Bele drin lag und den Arm hob, ragte vielleicht ihre Hand aus dem Stroh; die Rispen waren ausgefallen. Bele flocht Zöpfe aus dem sonnengeblichenen Stroh. Oder sie band Kränze und Sträuße, mit denen sie die Wunden der Parkstatuen schloß. Oder sie kaute einen Halm, liegend, sie lag am liebsten auf dem Rücken im Wollgrasfeld, ließ Bauch und Gesicht von der Sonne wärmen und hörte auf das Sirren der Halme. Manchmal köpfte sie eine Ameise. Abends erzählte sie Paul folgende Geschichte:

Wie mir ein Orden verliehen ward

Als ich eines Abends federleicht nach Hause kam, fand ich im Briefkasten ein großes Kuvert. Ich trug es in die Küche, griff nach dem Brotmesser, besann mich jedoch noch rechtzeitig und schnitt die rötliche Papiertasche auf mit dem Küchenmesser. Ein Bogen gleicher Papierqualität, Format DIN A 4, war zweimal quer gefaltet, dreigeteilt also; Kopf: geprägt mit Wappen, Rumpf: anderthalbzeilig, Beine: zwei. Auch leserlich. Dem anderthalbzeiligen Text entlas ich, daß ich gebeten würde, mich am einundzwanzigsten Mai des Jahres siebzehn Uhr fünfundvierzig betreffs Auszeichnung dort und dort einzufinden. Hochachtungsvoll. Stempel. Unterschrift. Unterschrift. Im roten Seidenpapierfutter des Kuverts lag außerdem eine mit Garamond-Antiqua bedruckte Karte folgenden Inhalts: »Es wird gebeten, den höchsten Orden zu tragen und von den weiteren Auszeichnungen die Interimsspangen anzulegen sowie Kleidung dem Charakter der Ehrung gemäß.«
Ich legte sofort gemäße Kleidung an. Drei Tage später fand ich mich damit am angegebenen Ort zur angegebenen Zeit pünktlich ein. Der Ort, eine Kumuluswolke von etlichen Quadratkilometern, war menschenvoll. Ich geriet in einige Verwirrung, ja wandte mich bereits zu gehen, als ein Herr nach meinen Papieren fragte. Ich zeigte ihm einige. Zuletzt den Brief. Er nahm mir den Mantel ab und führte mich in einen Nimbus-Saal. Die Menge auszeichnungswürdiger Menschen beeindruckte mich derart, daß ich einen Kognak nahm. Nach einer Weile betrat eine weißgekleidete Dame den Saal und stellte die Abordnung Wissenschaft zusammen. Als der Kellner den zweiten Kognak brachte, wurde die Abordnung Kunst und Medizin zusammengestellt und abgeführt, nach dem dritten Kognak wurde ich aufgerufen. Von einem weißgekleideten Herrn. Er rief nur Damen auf. Als sich unsere Abordnung zum Abmarsch formierte, gewahrte ich, daß die Kleidung ihrer durchweg jungen Mitglieder Ähnlichkeiten aufwies. Auch den übrigen Anwesenden schien das aufzufallen. Einige

schüttelten die Köpfe, als wir den Nimbus-Saal verließen.

Das Schloß lag ebenfalls im siebten Himmelsgeschoß, einige hundert Meter vom Nimbus-Saal entfernt. Sonne, wir gingen zu Fuß, der Wind lag kühl auf der Rückenhaut. Die Schloßwache salutierte. Das Tor ward aufgetan. Mehrere weißgekleidete Herren geleiteten uns die teppichbelegten Stufen hinauf. Es war zauberhaft geheizt.

Der Festsaal lag im ersten Stock. Kumulus, Stratokumulus, Zirrokumulus, Altokumulus, Zirrus, Zirrostratus. Die Sessel waren in Reihen angeordnet, wie in einem Theater etwa, jedoch mit Abständen von mindestens einem Meter Zirrus zwischen den Armlehnen. Der Prälat betrat den Saal durch die linke, zirrokumulisch verzierte Tür. Gefolgt von zwei geflügelten Herren. Ihre Schritte hallten. Als sie den Weg über das zirrostratische Parkett zurückgelegt hatten, flogen die Begleiter hinter einen Tisch, der mit Mappen beladen war. Der Prälat stellte sich ans Mikrophon und hielt eine Rede. Er sprach laut, rhythmisch akzentuiert, wenn er eine Pause machte, schlug er die obere Zahnreihe in die Unterlippe, er hatte einen schönen Mund, einen schönen großen Mund hatte er und eine noch größere Nase und dunkle Augen, so dunkel, daß man die Pupillen nicht erkennen konnte, die Iris, zu einem Drittel verdeckt, hatte einen bläulichen Ring und mehrere Lichter und einen halben Zentimeter Weiß zwischen Iris und Lid. Und blondes Haar hatte er, kurz geschnitten, es wuchs ihm stopplig in Stirn und Nacken, über den weißen Hemdkragen wuchs es, er akzentuierte die Sätze, indem er das zusammengerollte Manuskript seitlich gegen den Oberschenkel schlug, der steckte in einem aufschlaglosen Hosenbein, ziemlich langbeinig war er und schmalhüftig sicherlich und breitschultrig wahrscheinlich und überhaupt ein glänzender Redner. Beifall.

Der erste Begleiter ergriff die auf dem Stoß zuoberst liegende, mit rötlichem Leder bezogene Mappe, gab sie dem zweiten Begleiter, der öffnete sie und reichte sie dem Prälaten. Der Prälat las drei Namen, in der Reihenfolge: Familienname, Vorname, Mädchenname, er stand jetzt einen Schritt vom Mikrophon entfernt und zwei von mir, eine Dame erhob sich, er schlug die obere Zahnreihe in die Unterlippe, als die Dame vor ihm stand, verlas er die Begründung. Dann klappte er die Mappe zu, klemmte sie unter den rechten Oberarm, beugte sich über die linke Schulter der Dame, weit, er war sehr groß, und es machte ihm keine Schwierigkeiten, etwas länger darauf zu verweilen. Danach nahm er wieder Abstand, ergriff eine Hand der Dame, schüttelte sie und überreichte ihr die Urkunde. Im Gegensatz zu den irdischen Orden wurde dieser nicht an der Brust, sondern am Rücken angebracht. In der Mitte des linken Schulterblatts etwa. Er war von rötlicher Farbe, ziemlich groß, elliptisch, entlang der Hauptachse verlief eine Aussparung. Er wurde auf der Haut getragen. Als mir der Prälat den Orden auftätowierte, zählte ich. Zehn Sekunden zählte ich. Der Prälat hatte einen sehr schönen großen Mund. Nach sieben Tagen war der Orden verblaßt, und ich bedeckte mich wie zuvor.

An Feiertagen, wenn der höchste Orden und von den weiteren Auszeichnungen die Interimsspangen anzulegen sind, trage ich in der Mitte des linken Schulterblatts ein elliptisches Loch im Kleid.

Paul schlug vor, die Hochzeit in Konstantinopel zu feiern. Er bat Bele, die hierfür erforderlichen Dinar zu beschaffen, indem sie seine Aktentasche und einen Perlonunterrock auf dem Basar verkaufte. Dort handelten zahlreiche Interessenten mit Bele. Da es ihr an Ausdauer gebrach, schlug sie die Gegenstände schließlich für die Hälfte des geforderten Preises los, die Interessenten waren erstaunt. An Thunfischkonserven war nicht zu denken. Auf dem Rückweg machte Bele noch einige Aufnahmen von der Stadt in dem Bewußtsein, daß sie die nie wiedersehen würde, im Gegensatz zu Paul war Bele nur vor Abreisen von gewissen unangenehmen Zeitgefühlen befallen, außerdem war das Wetter ungünstig. Die Berge und das Meer lagen im Dunst, was bei Photographien geringe Tiefenschärfe bewirkt und als technischer Mangel entweder dem Photographierenden oder dem Apparat angelastet zu werden pflegt. Bele hatte von Konstantinopel eine zweidimensionale Vorstellung, Paul hatte vermutlich eine vierdimensionale. Bele versuchte, den räumlichen Eindruck durch markanten Vordergrund zu gewinnen, das Restaurant unter der Pinie photographierte sie mit den beiden eleganten Stadtpolizisten als Vordergrund. Sie trugen hellgraue Uniformen und weißes Lacklederzeug. Nach der Aufnahme grüßten sie schneidig. Die Tische unter der Pinie waren mit Stühlen behangen, deren Beine gen Himmel ragten. Die Moschee konnte Bele nicht mehr erledigen, da sie geschlossen war, »manche Arbeiten erledigen sich von selbst«, sagte Paul. Er erwartete Bele mit einem Meterstrauß aus Ginster- und Granatapfelzweigen vor dem Hotel. Als Bele sich näherte, legte er die rechte Hand auf die linke Brust und neigte den Kopf. Dann trug er Bele und Strauß die Treppen hinauf, obgleich der Fahrstuhl an diesem Tag funktionierte, Paul wohnte im vierten Stock Hauptgebäude. Er wurde von der Säuglingsschwester Schuch und vom Ehepaar Kunsch gesehen. Frau Kunsch blieb stehen. In Pauls Zimmer lagen aufgeschlagene Bücher und beschriebene Blätter auf Sesseln, Bett und Teppich, er sagte, er hätte erst eine Seite, es wäre zwecklos weiterzuarbeiten, ihm fehlten die Unterlagen. Brandis wollte die Unterlagen morgen mitbringen. Er hatte einen Chauffeur, der jede Gelegenheit nutzte, um Herr Professor oder Herr Doktor zu sagen. Die Pförtner des Instituts erhoben sich, rissen das Fenster ihrer Loge auf und sagten »Guten Morgen, Herr Doktor«, »Guten Tag, Herr Doktor« oder »Auf Wiedersehen, Herr Doktor«, wenn ein Promovierter den Eingang passierte. Wenn der Institutshund, ein Boxerrüde, einen Promovierten anbellte, entschuldigten sie sich bei diesem und rügten jenen wegen unstatthaften Benehmens. Der Boxer hatte ein Loch in Beles grünes Kleid gebissen. Paul erbot sich sogleich, für den Schaden aufzukommen. Er erkundigte sich wiederholt nach Art und Größe des Schadens. Im Meßraum, wo das Universalmikroskop stand. Bele saß auf dem Drehstuhl vor der in Institutskreisen als UMM bezeichneten Meßapparatur und sah auf den Bildschirm. Der Raum war abgedunkelt, rechts neben Bele stand ein goldbronzierter Notenständer, der eine von einer Nähmaschinenlampe angestrahlte Kerbkarte hielt. Auf der Kerbkarte waren das zu vermessende Ereignis mit Bleistift und die Orientierungspunkte mit Rotstift skizziert: Scanergebnis. Mittels zweier Kurbeln bewegte Bele den Schlitten, auf dem das Filmbild eingespannt war, der Bildschirm zeigte Ausschnitte des Bildes, parallel laufende, punktierte Linien, stark gekrümmte, spiralförmige, schwach gekrümmte, Bele hatten die schwach gekrümmten zu interessieren, das fächerförmige Gebilde, das auf der Kerbkarte skizziert war, bestand aus fünf schwach gekrümmten Spuren: ein fünfarmiges Ereignis. Bele bewegte das Filmbild derart in Ordinaten- und Abszissenrichtung, bis das dem Bildschirm eingravierte Fadenkreuz den ersten Meßpunkt schnitt. Dann schraubte sie den Schlitten fest und drückte die Taste des links neben ihr stehenden elektronischen Kartenlochers. Synkopisches Drumgeräusch. Nachdem sie alle Meßpunkte so vermessen hatte, manövrierte sie nacheinander einzelne Spurenpunkte in den Schnittpunkt des Fadenkreuzes und vermaß sie auf die nämliche Weise. Ihr sportlicher Ehrgeiz veranlaßte sie, die nächste Einstellung während der Locherschläge abzuschließen, wodurch die rhythmische Kontinuität gewährleistet wurde, der Locher schlug sozusagen einen flotten Knüppel. Deshalb hatte Bele überhört, daß Paul den Raum betreten hatte. Als er den Schaden an Beles grünem Kleid in Augenschein nehmen wollte, erschrak sie derart, daß sie mit dem Knie gegen den Tisch schlug, auf den das Mikroskop montiert war. Die Erschütterung verschob die Einstellung, alle bisherigen Messungen des Ereignisses wurden wertlos, Bele mußte neu justieren, sie sagte: »Suchen Sie was?« – »Physiker suchen immer«, sagte Paul, »entweder Kerbkarten oder Bißwunden oder die Wahrheit.« Als der Institutsdirektor kurz darauf mit seiner Sekretärin Wiebke, einem sowjetischen Professor, zwei Doktoranden und einer Laborantin unverhofft ins Zimmer kam, fragte Paul ihn, ob er nicht eine schöne Gegend für eine Hochzeitsreise empfehlen könnte, Bele und er hätten soeben beschlossen zu heiraten. Paul war noch heute stolz auf diese geistesgegenwärtige Übertreibung, mit der er der heiklen Situation sozusagen die Spitze abgebrochen zu haben glaubte. Er hielt solche Übertreibungen für hochwirksam, weil sie einem dialektischen Prinzip genügten, seine spezielle Übertreibungstheorie basierte auf Prinzipien der materialistischen Dialektik. Die Doktoranden und die Laborantin berücksichtigten diese Prinzipien offenbar nicht, jedenfalls war das Institut wenig später über Pauls Heiratspläne unterrichtet, noch kein Skandal. Erst als Paul mit einem Kollegen, dem Bele im sogenannten blauen Salon beim Sortieren von Rechenstreifen geholfen hatte, neben Worten auch Schläge tauschte, wurde der Skandaleffekt erbracht. Der blaue Salon war ein weißgetünchter Raum mit zwei großen Fenstern, deren untere kippbare Scheiben aus Milchglas bestanden, auf dem blauen Estrich zwei schadhafte Schreibtische, drei mit Rechenstreifen behäufte Bürotische und ein seriengefertigter Schrank, helles Eichenfurnier. An der rechten Wand war eine elektrische Schalttafel mit Manometern angebracht, an der linken ein Spülbecken aus dunkelbraunem Steinzeug. Der Winkel zwischen Schrank und Spülbecken war für den Eintretenden nicht sofort einsehbar. Paul und Bele benutzten ihn oft. Der Estrich verlieh dem kahlen Raum eine kirchenartige Akustik. Bevor Bele das Institut verließ, kerbte sie mit dem Daumennagel ein Andreaskreuz in die Wand über dem Spülbecken. Result: gewisse unangenehme Zeitgefühle. Da der Abreisetermin auf vier Uhr dreißig anberaumt war und die Hochzeitsfeier nicht viel eher beendet sein würde, packte Bele ihren und Pauls Koffer vor Feierbeginn. Die Koffer reichten selbstverständlich nicht, da Pauls Aktentasche illegal abhanden und eine Gusle dazugekommen war, eine kleine Gusle mit sparsamem Schnitzdekor, Bruno wußte nicht, daß es größere gab, ungewiß blieb, ob sein Großvater sie als Teufelsgeige anerkennen würde. Bele packte mehrmals ein und aus, zuletzt eilig und ohne Rücksicht auf die Kleidungsstücke; Schranktüren und Schubladen standen offen, Zeitungsbogen, leere Flaschen und Kartons lagen im Zimmer herum. Bele gab kurze Antworten. Bei der Anreise hatte sie sich bemüht, nicht an die Abreise zu denken. Nicht aus Neigung wollte sie bei den fahrenden Berufen bleiben, sie glaubte, etwas zu verpassen, wenn sie nicht unterwegs war. Deshalb ergriff sie Berufe gegen ihre Natur. Angesichts des aufbruchswüsten Zimmers fragte sie sich: Wozu? Die Hochzeitsfeier fand im Rahmen der Abschiedsfeier im großen Speisesaal statt. Die der Reisegruppe zur Verfügung stehenden Tische waren nahe der Glaswand, die den kleinen vom großen Speisesaal trennte, zu einer U-förmigen Tafel zusammengestellt und mit Ginster- und Granatapfelzweigen geschmückt, am querstehenden Tafelteil hatten von links nach rechts Reiseleiter Konstantin mit Gattin, Boza, der Hoteldirektor und Paul und Bele Platz genommen. Konstantin zählte und sprach dann eine Rede aus Versatzstükken, sie verliehen ihr einen geheimnisvollen Charakter, vergleichbar der Stadt, die in wenigen Stunden verlassen werden sollte, Konstantin fand für sie viele Worte. Dann würdigte er Wetter, Unterbringung und Titos Verdienste und deutete die Hochzeit als optimistischen Ausklang symbolisch. Der Hoteldirektor sang Arien von Verdi, Puccini und die Stalinkantate von Alexandrow. Anschließend trugen die Kellner Mitar und Ivo unter Aufsicht der beiden glatzköpfigen Oberkellner die Henkers- beziehungsweise Hochzeitsmahlzeit auf: Cinzano on the rocks mit Zitrone; Spargelsuppe; faschiertes Rindfleisch,

Champignons, Kartoffeln; Weißwein, Rotwein; Eis mit Erdbeeren, Buttercremetorte, Mokka. Paul schlang schweigend.
Große blicklose Augen. Unter der Schläfenhaut, die die Kieferbewegungen reflektierte, zeichnete sich rechts eine Ader
ab. Zweimal entrang sich dem tätigen Mund ein Laut in Form
eines Wortes. Das klang wie ein Schrei: »Gut.« Obgleich Bele
alle Reisegruppenmitglieder von ihrem Platz aus wie stets
genau betrachten konnte, beschrieb sie sie in ihrem Tagebuch
nicht. Sie vermerkte lediglich, daß Paul schlecht geschildert
wäre, kleinlich, wodurch keine Vorstellung seiner faszinieren-
den Persönlichkeit gegeben würde. Als Brautgeschenk überreichte er ihr eine Zobelmütze, die er von einem sowjetischen
Physiker besorgen lassen wollte. Wöllner schloß seine Gratu-
lationsrede mit dem Anerbieten, dem Brautpaar sein und
Diepolts Zimmer zur Verfügung zu stellen. Der gesellige Teil
der Feier fand in der Bar statt. Deren Glaswand, zirka sechzig
Quadratmeter, war mit internationalen Schnäpsen verstellt,
Paul und Bele tranken sich durch verschiedene Erdteile, Tanz,
der Hoteldirektor erzählte italienisch von seiner einstigen
Karriere als jugendlicher Heldentenor. Fräulein Dr. Motel
übersetzte und erläuterte anhand prägnanter Wortbeispiele
die Entwicklung vom klassischen Latein zur italienischen
Hochsprache, Bele hatte kein serbokroatisches Wort gelernt,
ihre Hochzeitsreise verbrachte sie zu Hause, der Hoteldirektor
verabschiedete sich mit Suliko. Paul sagte: »Wer nicht liebt,
lebt von sich getrennt.« Später sprach er über das Phänomen
der gleichen Wellenlänge, er sprach laut, rhythmisch akzentuiert, wenn er eine Pause machte, schlug er die obere Zahnreihe
in die Unterlippe, er hatte einen schönen Mund, einen schönen großen Mund hatte er und eine noch größere Nase und
dunkle Augen, so dunkel, daß man die Pupillen nicht erkennen konnte, die Iris, zu einem Drittel verdeckt, hatte einen
bläulichen Ring und mehrere Lichter und einen halben Zentimeter Weiß zwischen Iris und Lid. Und blondes Haar hatte er,
kurz geschnitten, es wuchs ihm stopplig in Stirn und Nacken,
über den weißen Hemdkragen wuchs es, er akzentuierte die
Sätze, indem er Beles Handtasche seitlich gegen den Oberschenkel schlug, der steckte in einem engen, aufschlaglosen

Hosenbein, ziemlich langbeinig war er und fast schmalhüftig und jedenfalls breitschultrig und überhaupt ein glänzender Redner. Das Problem der Interferenz berührte er nicht. Gegen vier ging Paul in den Speisesaal und ritzte mit dem Daumennagel den einundzwanzigsten Strich in die Wand. Dann schleppte Paul die Koffer zum Bus. Fräulein Schuch und ihre Berliner Tante standen vor der hinteren Tür, Konstantin lächelte ihnen zu. Der Bus war noch verschlossen. Bele setzte sich auf ihren Koffer. Paul rauchte Pfeife. Beim Gesäg einer Zikade erzählte Bele ihm folgende Geschichte:

Wie die Häuser gebaut wurden

Aber ein Nebel ging auf von der Erde und feuchtete alles Land. Wasser sammelte sich in den Baugruben. Ich betrachtete mich in seinem Spiegel. Und nahm eine Handvoll Lehm von der Halde, die sich neben mir erhob, und formte den Erdenkloß nach meinem Bild.

Da trat der Platzwächter hinter der Halde hervor. Begleitet von einem Hund. Der Hund war eine deutsche Dogge. Ich schob die rechte Hand mit dem Kloß hinter meinen Rücken, der Platzwächter bot mir seine rechte, ich versuchte den Lehm in der Handtasche verschwinden zu lassen, das Taschenschloß klemmte, ich wollte den Hut lüften, um den Batzen darunter zu verbergen, ich hatte keinen auf, da steckte ich den Erdenkloß in den Mund, schlang, ergriff die rechte Hand des Platzwächters und wünschte einen guten Tag. Er prüfte meinen Ausweis. Dann befragte er mich nach sozialer Herkunft und Stand, machte sich Notizen zur Person, Gewicht, Größe, Kinderkrankheiten und Schulbildung betreffend, und schrieb mir später auf dem Rücken der Dogge einen Dauerpassierschein aus, der zum Betreten des Bauplatzes werktags sowie an Sonn- und Feiertagen in der Zeit von null bis vierundzwanzig Uhr berechtigte. Der Schein war nicht übertragbar. Seine Gültigkeit beschränkte sich auf die Dauer von vierzig Wochen, vom Tage der Ausstellung an gerechnet.

Sechzehn Tage nach der Ausstellung erbrach ich das Frühstück, aß noch eins, das ich erbrach, und so fort, ich konnte gar nicht so viel reingeben, wie ich rausgeben mußte. Die Rechte, die mir der Passierschein gewährte, nahm ich regelmäßig wahr, wenn ich vom Dienst kam. Ungehindert durch Zäune spazierte ich über den Bauplatz, ungehindert durch Lauben konnte ich das Gelände überblicken, wo auch immer ich stand. Es erschien mir doppelt so groß wie früher und geschaffen für Hochhäuser. Gegenwärtig standen erst einige Latten. Jeweils drei standen zusammen, an die waren jeweils zwei Bretter so genagelt, daß die Bretter einen rechten Winkel bildeten. Von der ersten und bisher einzigen Halde, der ich die Handvoll Lehm entnommen hatte, rodelten Kinder auf Schulranzen. Der Lehmkloß war mir offenbar schlecht bekommen. Denn ich empfand Mahalia Jackson als laut und Bismarckeiche als bitter und für meinen Freund Rudolf Widerwillen. Er rauchte Zigarren. Ich untersagte ihm das in meiner Wohnung. Er löschte die Havannas vor der Tür und trug den Tabakgeruch in seinen Kleidern über meine Schwelle. Ich kündigte ihm die Freundschaft. Die meisten Lauben waren ohnehin baufällig gewesen. An sie erinnerten nur noch einige Fetzen Teerpappe, die der Wind bisweilen über den Bauplatz fegte. Aber ich konnte schwer Schlaf finden. Die Bagger- und Raupenfahrzeuge befuhren den Bauplatz Tag und Nacht. Nachts leuchteten ihnen Scheinwerfer, die gebündelt an Mastspitzen hingen. Die Holzmasten waren durch gummiertes Kabel miteinander verbunden, das hing durch. Die trockene Stadt hatte die Nebelschwaden längst aufgezehrt, alle Fahrzeuge arbeiteten wieder mit abgeblendeten Scheinwerfern. Die blaugestrichenen Bagger führten grüne Schatten, die orangefarbenen Bulldozer rötliche. Bisweilen blitzten die blankgeschürften Planierschilde an der Stirnseite der Bulldozer auf. Wenn die Bulldozer mit erhobenem Schild rückwärts die Halden hinabfuhren, die sie vorwärts mit gesenktem Schild häuften. Inzwischen waren schon sechs Halden gehäuft, drei Paare durch eine gefurchte Mulde verbunden. Manchmal mußte ich einen Fahrgast um einen Sitzplatz bitten. Während des Berufsverkehrs, wenn der Wagen überfüllt war, kassierte ich bisweilen gar nicht, sondern lehnte an der halboffenen Tür und reckte meinen Kopf in den Fahrtwind. Einmal ertappte mich ein Kontrolleur. Er notierte sich den Vorgang. Ich blieb an der Tür stehen. Mein Sinn stand nach einem Bett, das sich in einem lärm- und geruchssicheren, abgedunkelten Zimmer befand und mich weitgehend der Essenpflicht enthob oder diese auf Kartoffeln und Quark beschränkte, ich war müde wie noch nie in meinem Leben. Da mir meine Uniform inzwischen so weit geworden war, daß Abnäher nicht mehr halfen, beschloß ich, einen Arzt aufzusuchen. Ich erzählte ihm von der deutschen Dogge und vom Lehm und daß ich in der Aufregung keinen anderen Ausweg gesehen hätte. Obgleich ich dem Arzt wiederholt erklärte, den Lehmkloß, ungeachtet seiner Größe und der mir daraus entstandenen Unbequemlichkeiten, verschlungen zu haben, nötigte mich der Herr auf einen Stuhl mit Beinlehnen und traktierte mich mit Spiegeln. Ohne allerdings zu einem anderen Ergebnis zu gelangen als dem, das ich beim Betreten des Untersuchungszimmers als Vermutung geäußert hatte. Der Arzt führte mich in sein privates Arbeitszimmer, bot mir eine Auswahl von Sesseln zum Platznehmen an und versicherte mich seines ungeteilten wissenschaftlichen Interesses an diesem parthenogenetischen Fall, den er als einzigartig bezeichnete. Im Verlaufe unseres Gespräches verkaufte ich ihm das wissenschaftliche Alleinverwertungsrecht meines Falles für sechstausend Mark. Nach Abschluß der Verhandlungen unterzeichneten wir einen Vertrag, der mir außerdem fünfundzwanzig Prozent der Honorareinnahmen zusprach, die dem Arzt durch die Veröffentlichung von medizinischen Untersuchungen, Artikeln und populärwissenschaftlichen Beiträgen über den Fall zuflossen. Als das Geschäft zur beiderseitigen Zufriedenheit abgeschlossen war, führte mich der Arzt wieder zurück ins Untersuchungszimmer und diktierte seiner Sprechstundenhilfe einen Antrag für einen Schonplatz, ein Rezept und eine mit dem ärztlichen Befund versehene Bescheinigung. Nach Vorlage der Bescheinigung bei der Fürsorgestelle wurde mir ein Ausweis ausgefertigt. Er trug die Nummer 262 187 und enthielt verschiedene Eintragungen, Röntgenthorax, serologische Untersuchungen, Blutgruppe, RH-Faktor, Urin und Gewicht betreffend. Name und Adresse waren mit Tinte geschrieben, und gedruckt stand: »Inhaberin dieses Ausweises ist a) in allen öffentlichen Verkehrsmitteln ein Sitzplatz anzuweisen, b) in allen öffentlichen Dienststellen bevorzugt abzufertigen, c) beim Einkauf von Lebensmitteln und Bedarfsartikeln bevorzugt abzufertigen, d) bevorzugt ärztliche Hilfe zu gewähren.« Die mannigfaltigen Vorteile, die mir durch das Verschlingen des Erdenkloßes entstanden, wogen indessen die Nachteile nicht auf. Auch die Tabletten gegen Reisekrankheiten, die mir der Arzt verschrieben hatte, veränderten mein Befinden kaum. Wenn ich damals einen

Spaten bei mir gehabt hätte, wäre der Kloß zum Verschlingen zu groß geworden, seine Größe hätte dem Platzwächter oder zumindest seinem Hund Respekt eingeflößt, und die Arbeit wäre spätestens in einer Stunde erledigt gewesen. Aber welche Frau trägt schon in ihrer Handtasche ständig einen Spaten? Oft mußte ich auf dem Heimweg vom Dienst eine Rast einlegen und mich auf einem der Zementrohre niederlassen, die am Rande des Bauplatzes abgeladen worden waren. Natürlich hänselten mich die Tiefbauarbeiter aus verschiedenen Gräben, die Löffelbagger ausgehoben hatten. Ich nahm eine Handvoll Sand von der nächsten Halde und streute ihn auf die bizarr befilzten Köpfe: Asche zu Asche, Staub zu Staub. Die Halden wechselten ihre Farbe. Anfangs waren sie hell- bis schwarzbraun, dann färbten sie sich rötlich, jetzt trugen sie Gelb. Mein Erdenkloß hatte eine rotbraune Farbe gehabt. Die Häuser wurden auf Sand gebaut. Hochhäuser auf Sand? Die Bulldozer fuhren rückwärts bis zur Mitte der von ihnen geschürften Mulden mit gehobenem Schild, der Schild zitterte, das ganze orangefarbene Gehäuse erzitterte unter der gestauten Kraft des Motors, dann blieben die Raupen stehen, der Motor schüttelte den Bulldozer wie die Triebwerke das Flugzeug kurz vor dem Start, plötzlich fiel der Schild, schlaffte jäh auf die Erde, vor Reiseantritt setzt man sich: russischer Brauch. Wenn ich nicht schlafen konnte, setzte ich mich auf den Bettrand und dachte nach. Ich dachte: Pyramidon. Sieben Tage nach Ausstellung des Dauerpassierscheins früh, mittags und abends nach dem Essen zwei Tabletten gegen Grippe. Ein kürzlich stattgefundener internationaler pharmazeutischer Kongreß erklärte die Zunahme der Mißbildungen mit Arzneimittelmißbrauch. Die Bekämpfung dieser Erscheinung beschäftigte namhafte Wissenschaftler des In- und Auslandes in zahlreichen Beiträgen. Der Kongreß forderte alle Frauen im gebärfähigen Alter auf, sich in der zweiten Hälfte des Ovarialzyklus jeglicher Arzneimittel zu enthalten, da die Gefahr der Schädigung einer möglichen Leibesfrucht in den ersten Wochen besonders groß wäre. Der mangels eines Spatens zu klein geratene Erdenkloß, den ich angesichts einer bleckenden deutschen Dogge instinktiv verschlungen hatte, war selbst hinter der Bauchdecke seines Lebens nicht sicher, da ich zur Unzeit an Grippe erkrankt war. Wenn ich in meinem Bett wachte, legte ich oft die flache Hand auf die Bauchdecke. Keinerlei Bewegung. Dabei hätte ich beschwören können, dem Erdenkloß einen lebendigen Odem eingeblasen zu haben, bevor ich ihn verschlang. Der Bau kam nicht voran. Einmal weichte Regen das Erdreich so stark auf, daß die Fahrzeuge bis zu den Achsen einsanken, dann stockten die Ausschachtungsarbeiten, weil Kipperfahrer Vermessungslatten umgefahren hatten, schließlich wurden alle Bulldozer vorübergehend zur Planierung eines Ausstellungsgeländes abkommandiert, drei Monate bereits arbeitete man auf dem ehemaligen Gartengelände, und von den neuen Häusern existierten noch nicht einmal die Fundamente, ich hatte mir das Unternehmen lustiger vorgestellt, ich badete zweimal heiß, doch ohne Wirkung.

Wenige Tage nachdem mir der Schonplatz in Gestalt eines Bürostuhls zugewiesen war, brach Hunger aus, und ich meldete mich zurück zum Fahrdienst. Der Kaderleiter, ein durch das ständige Arbeitskräftedefizit der BVG frühzeitig ergrauter Mann, würdigte meinen Entschluß in einem Wandzeitungsartikel und verschaffte mir Dienst auf Großraumwagen mit Schaffnerlogen. In der Loge stellte ich meinen Eßkorb unter, er enthielt Käsekuchen, Wurstsemmeln, Äpfel und rohe Kartoffeln; da mir eine Schalttafel zur Verfügung stand, von der aus ich die Wagentüren durch Knopfdruck öffnen und schließen konnte, und die Fahrgäste das Geld brachten, statt daß ich es von ihnen holen mußte wie bisher, blieb genügend Zeit zum Essen, ich nutzte jede freie Minute und befuhr Strecken, die ich bisher nicht einmal vom Hörensagen kannte. Die Strecken durchquerten vorwiegend Neubauviertel. Die Reden meines einstigen Freundes Rudolf, den ich hin und wieder noch kostenlos ein paar Stationen in meinem Wagen mitfahren ließ, langweilten mich kaum, da das interne Geräusch beim Zerkauen roher Kartoffeln die meisten externen Geräusche überlagerte. Auf dem Bauplatz wurden perforierte Betonplatten in straßenartiger Anordnung verlegt. Darauf fuhren Lastwagen, Mörtelmaschinen und orangefarbene Zementsilos an. Als die Silos auf ihre drei Beine gestellt waren, erschienen Spezialtransporter, deren schwere Chassis unverhältnismäßig kleine rundliche Behälter trugen. An die Behälter wurde ein Schlauch angeschlossen, dessen Ende an der unteren Öffnung des orangefarbenen Silos befestigt wurde. Nunmehr setzte der Fahrer einen sinnreichen motorgetriebenen Mechanismus in Gang, der den Schlauch in peristaltische Bewegungen versetzte, wodurch der Zement aus dem rundlichen Behälter in das dreibeinige Silo gelangte. In schneller Folge wurden die Fundamente betoniert: sechs saubere gründliche Rechtecke, von Erdwülsten umgeben. Noch bevor die Maurer das erste Kellergeschoß aus Ziegeln gemauert hatten, lagen entlang seiner Breitseite die Gleise für den Drehkran. In den Winterwochen, da etliche Triebwagenführer mich mit Komplimenten, mein auffällig gesundes Aussehen betreffend, versorgten, arbeiteten sechs Rapid-Baukräne auf dem Gelände, vier silbrige und zwei graue. Der aus nahtlosem Rohr bestehende Unterbau der Kräne war auf einen kleinen Wagen montiert, der auch eine gelbschwarz gestreifte Sandkiste trug: das Gegengewicht. Die Seilrolle mit dem Lasthaken war ebenfalls gelb-schwarz gestrichen. Am Lasthaken hingen Großplatten, Kachelöfen, Mörtelbehälter vom Typ Trudelbecher, Schubkarren. Wenn der unterhalb des Auslegers in der Kanzel sitzende Kranführer die Lasten nicht nur hob und schwenkte, sondern auch verfuhr, wobei sich der Kran mittels Laufrollen auf den Schienen bewegte, ertönte das klingelnde Signal des Läutewerks. Nachts leuchteten kleine Scheinwerfer von den Auslegerspitzen und große, die unterhalb der Führerkanzeln angebracht waren. Sie brachen Lichtschneisen in die Wände meiner Stube. Bald rollten Bulldozer durch die Schneisen, gemeine Lastwagen, Traktoren, Kipper, Tieflader, Löffelbagger, Zementtransporter, gelegte Rapid-Kräne auf Fahrgestellen mit gummibereiften Rädern, der gesamte auf der Baustelle tätige Maschinenpark rollte nachts durch meine Wohnung, ich schlief wie noch nie in meinem Leben. Bisweilen weckten mich schnelle Bewegungen unter der Bauchdecke. Die Uniform wurde mir zu eng. Innerhalb dreier Monate waren nicht weniger als sechzehn Häuser montiert. Keine Hochhäuser, aber mein Fall bestimmte die Schlagzeilen der Fachpresse und fand auch in anderen Zeitungen und Zeitschriften Erwähnung. Mein Arzt verarbeitete ihn zu einem Buch, dessen Kapitel er so abfaßte, daß er sie einzeln in medizinischen und populärwissenschaftlichen Zeitschriften publizieren konnte, bevor er sie gesammelt einem Verlag verkaufte. Das Werk gab in seinen Anfangskapiteln einen historischen Abriß der Stellung der Frau in den verschiedenen Gesellschaftsformationen und der daraus resultierenden physiologischen Konsequenzen, analysierte in seinem Hauptteil die Position des weiblichen Geschlechts in den beiden Lagern unter besonderer Berücksichtigung meines Falls und dem der Marilyn Monroe und prognostizierte im Schlußteil, ausgehend von den patriarchalischen Anfängen, die das Erste Buch Mose eindrucksvoll spiegeln würde, die matriarchalische Zukunft. Mich bezeichnete der Arzt als Menschen, in dem sich die Zukunft physiologisch bereits manifestierte. Die ausgefallene, für unsere Begriffe abartige Fortpflanzungsart, die das Erste Buch Mose im zweiten Kapitel, Vers sieben beschriebe – religiös verbrämt selbstverständlich, die Darstellung intimer Szenen oder Körperteile wäre ja bekanntlich bis zur Renaissance nur religiös verbrämt möglich gewesen –, diese als physiologische Auswirkung des Patriarchats definierbare Fortpflanzungsart hätte in der Parthenogenese der Bele H. ein Gegenstück gefunden. Ein natürliches Gegenstück, denn Parthenogenese wäre sowohl in der Flora als auch in der Fauna längst bekannt, und zwar nicht als Abnormität, sondern als legitime Fortpflanzungsart ganzer Gattungen, der Autor erinnerte an die Honigbiene und den Seidenspinner. Daß die Gleichberechtigung des weiblichen Menschen nicht nur geistige und psychologische, sondern im Laufe der Entwicklung auch physiologische Folgen haben dürfte, wäre in Fachkreisen bereits hier und da als Vermutung geäußert worden. Inoffiziell, doch das wäre nicht verwunderlich, wenn man bedächte, daß die Fachkreise zur Zeit noch überwiegend von Männern gebildet würden, die im allgemeinen verständlicherweise kein Interesse daran hätten, den schleichenden Prozeß des Überflüssigwerdens der maskulinen Spezies durch Publikationen zu beschleunigen. Besonders die Kapitel, die die Entwicklung des Erdenkloßes in meinem

Bauch beschrieben und parallel mit ihr veröffentlicht wurden, waren heftig umstritten und machten das spätere Buch mit dem Titel »Schöpfung II« skandalumwittert, was sich auf die im Verlagsvertrag geplante Auflagenhöhe und also auf den Vorschuß überaus günstig auswirkte und mich finanziell in die Lage versetzte, achtundzwanzig Wochen nach Ausstellung des Dauerpassierscheins für die Baustelle in unbezahlten Urlaub zu gehen. Ich war nicht wenig froh über diese Fügung, denn zu diesem Zeitpunkt neigte ich bereits zur Seßhaftigkeit. Obgleich mir Sitzen immer beschwerlicher wurde, desgleichen Gehen und Stehen. Hin und wieder sah ich mich gezwungen, von Ausweis Nr. 262 187 Gebrauch zu machen. An ärztlicher Hilfe gebrach es mir auch in den Herbstwochen nicht, mein Sparkassenkonto wuchs. Die Montage der Wohnblocks war beendet. Richtfest also. Aber mir war nicht nach feiern. Mir fehlten die Bulldozer, Traktoren, Kipper, Tieflader, Löffelbagger, Zementtransporter und Rapid-Kräne, die nachts durch die Lichtschneisen meiner Wohnung gefahren waren. Trampeln gegen das Zwerchfell und Leberhaken ließen mich oft nicht schlafen. Aber ich konnte mich nicht mehr stundenlang auf den Bettrand setzen. Ich mußte im Liegen nachdenken. Ich starrte an die schwarze, nicht mal von einem gemeinsamen Lastwagen befahrene Zimmerdecke und dachte: Wiesbadener Internistenkongreß. Der im April 58 stattgefundene Kongreß hatte sich mit den Folgen der Strahlenverseuchung der Luft beschäftigt und mitgeteilt, daß es eine unbedenkliche Strahlendosis für die Biologie nicht gäbe. Die Wiesbadener Tagung war mit einer Ausstellung von Bildern eröffnet worden, die durch Strahlungsschädigungen entstandene menschliche Monstren gezeigt hatte. An Stelle von Bulldozern, Baggern und Kränen geisterten diese Bilder nachts durch meine Wohnung. Der Innenausbau wurde nur tagsüber betrieben, einschichtig. Er dauerte fast zwölf Wochen, sie wurden mir so lang wie sonst zwölf Monate nicht. Ich ging nur noch im Mantel auf den Bauplatz. Täglich, der Arzt hatte mir Bewegung verordnet. Aber die Bewegung wurde immer langsamer. Seitdem Fenster in die Häuser eingesetzt worden waren, gab es ohnehin nicht viel mehr zu sehen als einige Teeröfen und die mit weißer Farbe auf Fensterglas gemalten Fragezeichen, Frauenakte und Geschlechtssymbole. Wenn ich Glück hatte, fuhr mal ein Lastwagen vor, von dem Rollen von Dachpappe, Teereimer, Badewannen oder Klosettbecken abgeladen wurden. Wenn die Gärten noch gewesen wären, hätte ich mir jetzt die kahlen Apfelbäume ansehen können. Früher sah ich mir die Obstbäume an, wenn sie blühten, wenn sie grünten, wenn sie Früchte trugen und wenn sie das Laub abwarfen; ein Blick in die Gärten, und ich wußte, in welcher Zeit ich lebte. Jetzt mußte ich nach dem Kalender leben. Der Beton wuchs mir in die Wohnung. Die Zeitungen berichteten über Atomversuchs-stopp-Abkommen und den Krieg in Vietnam. Schnee fiel. Die Wehen kamen. Ich begab mich in die Klinik. Da die Hebamme mich nicht über die Entstehungsgeschichte des zu gebärenden Menschen befragte, sah ich keinen Grund, den Erdenkloß von mir aus zu erwähnen.

Die Maschine startete sieben Uhr funfunddreißig. Das Fenster zeigte Blech und Beton. Dann Blech und Wolken. »Worauf wartest du?« fragte Paul. »Ich bin müde«, sagte Bele. Sie saß am Fenster. Dem linken ihr zugewandten Armstützenteil des Vordersessels war kein Schild aufgeschraubt. Luftdusche. Das rechte Vorderteil von Pauls Anzugjacke bauschte sich. Zwischenlandung in Beograd. Hitze. Die Reisegruppe betrat unter Führung des Reiseleiters das Flughafengebäude. Staubsauger heulten, uniformierte Mädchen klimperten mit dürren Absätzen über Steinplattenboden, Lautsprecher verbreiteten heimatliche Schlager, Paßkontrolle, Konstantin zählte die Reisegruppenmitglieder, die Zahl stimmte mit der im Sammelvisum angegebenen überein. »Wir sind sehr zufrieden«, sagte die wissenschaftliche Lehrerin. »Ganz ausgezeichnet«, sagte der Rektor in Ruhe, »zu Hause ist Hochdruckwetter.« Fräulein Schuch freute sich über diese Mitteilung, da sie ihrer Tante wegen nicht angemessen braun hatte werden können. Dr. Stolp sah übers Jahr eine Ostseereise auf sich zukommen. Paul entwickelte eine Theorie für die Beschaffung günstiger Plätze. Aufbruch, Paßkontrolle, Gang durch die Hitze, Gangway, Paul eroberte für Bele wieder einen Fensterplatz. Sie sah Blech und Beton. Später zwei graue, durchsichtige Segmente, Blech und Wolken, dem linken ihr zugewandten Armstützenteil war ein Schild aufgeschraubt, unter ihrem Sessel stand die Reisetasche. Als die Stewardeß Frühstück brachte, bestellte Bele Wodka. Der Wodka schaukelte im Glas. »Worauf wartest du?« fragte Paul. »Prost«, sagte Bele. Sie leerte das Plastgeschirr. Paul zog Aufzeichnungen aus der rechten Innentasche seines Anzugs, blätterte und aß Zwieback. Über Lautsprecher wurde bekanntgegeben, daß in Kürze Budapest überflogen würde. »Klatt wäre nicht der Richtige gewesen«, sagte Paul. Graue Wolken, weiße Wolken, Mittelplatzbesitzer, die nicht mehr von Tischen eingeschlossen waren, erhoben sich und drängten zu den Fenstern, um die Budapester Wolken zu sehen, die Budapester Wolken hatten Wollgrascharakter, Bele schlief ein. Sie verschlief mehrere Großstädte. Gegen Mittag erzitterte die Maschine, Sonne, das Aluminiumblech glänzte, kein Feuerschein, »das Fahrgestell«, sagte Paul. Felder, Wiese, Wiese mit Dächern, Beton, Landung, Aufbruch, Gangway, Hitze: Sie waren zu Hause. Konstantin führte seine Reisegruppe zum Flughafengebäude, zählte, Paßkontrolle, Zoll, flüchtiges Händeschütteln und Alles-Gute-Wünschen, Brandis wartete mit einem Rosenbukett in der Halle. Er nahm Bele die Reisetasche ab, küßte ihr die Hand, überreichte das Rosenbukett und entschuldigte sich wegen des Eilbriefs. Paul begrüßte Brandis, indem er eine Braue hob, dem darunterliegenden Auge entfiel ein Funke, Brandis nannte Paul einen Menschen, auf den man sich verlassen könnte. Er schlug Paul den Rücken. Der Chauffeur, der den Institutswagen vor dem Flughafengebäude geparkt hatte, sagte: »Guten Tag, Herr Doktor.« Bele zögerte einzusteigen, da sie eine Zählung erwartete. Der Chauffeur fuhr streckenweise mehr als sechzig, da die Maschine verspätet gelandet war. Dichter Verkehr auf den Straßen, schweißglänzende Gesichter: keine Siesta. Ergraute Farben. Das Wagenverdeck war zurückgeschoben. Heißer Zugwind zerblies Beles Frisur. Der Himmel war grau, ohne bewölkt zu sein: indirekte Beleuchtung. Im Auto roch es nach Benzin. Brandis saß neben dem Chauffeur und sprach nach hinten, Paul und Bele saßen hinten. Brandis sagte: »Klatt liegt im Polizeikrankenhaus, Blinddarm, vorgestern operiert, heute früh gegen acht rief er mich an, ich soll ihm Krimis schicken.« – »Ist die Resonanz ein Dreckeffekt?« fragte Paul. »Wir haben noch mal alles gerechnet«, sagte Brandis, »es scheint tatsächlich ein neues Teilchen zu sein.« – »Ein neues Teilchen, und Klatt liegt im Krankenhaus, wie ist das möglich?« – »Klatt hat das Fitprogramm geleitet«, sagte Brandis. »Fleißig«, sagte Paul, »weiß er, daß ich statt seiner nach Budapest fahre?« Brandis lachte, gab aber zu, daß er es Klatt noch nicht gesagt hatte. In der Frankfurter Allee mußte der Chauffeur halten, weil Paul sich Nortak-Tabak kaufen wollte. Im Auto war es heiß, Bele stand auf. Der Wagen reichte ihr bis zur Taille. Als Paul den Tabakwarenladen verließ, grüßte Bele ihn, indem sie die rechte angehobene Hand staatsmannartig bewegte. Dann fragte sie: »Was ist ein idealisiertes Experiment?« – »Zum Beispiel ein Experiment mit gleichförmiger Bewegung«, sagte Paul, als er seine Pfeife gestopft hatte, »es kann niemals wirklich durchgeführt werden, da wir den Einfluß der äußeren Kräfte nicht eliminieren können; aber es führt zu einem tieferen Verständnis wirklich durchführbarer Versuche. Weiter.« – »Bitte, Herr Doktor«, sagte der Chauffeur. Brandis mahnte ihn zur Eile, da der standesamtliche Termin auf vierzehn Uhr festgesetzt war. Beles Eltern kannten ihn nicht. Paul trug noch immer den blauen Fleck am Hals, den Bele ihm gestern auftätowiert hatte mit den Lippen. »Ihr seht enorm erholt aus«, sagte Brandis. »Wer nicht liebt, lebt ein Leben weniger«, sagte Paul. »Meine Rede, Herr Doktor«, sagte der Chauffeur, »Sie werden den Kulturraum nicht wiedererkennen.« – »Ich fliege heute abend«, sagte Paul. »Und die Feier?« fragte Brandis. »Wir haben in Konstantinopel gefeiert«, sagte Bele. Dimitroffstraße, Ecke Leninallee bat sie den Chauffeur anzuhalten, verabschiedete sich von den Herren und stieg aus. »Was hast du vor?« fragte Paul. »Das absolute Experiment«, antwortete Bele und winkte einer Taxe mit dem Rosenbukett.

Eigentlich hatten sie nach Prag reisen wollen.

Nachbemerkung der Verfasserin

Ich verkaufte das Tagebuch für eine erkleckliche Summe (eindreiviertel Konstantinopelreisen) und die Bedingung, es zu bearbeiten, einem Verlag. Die Änderungen führten zu einem grammatischen Wechsel von der ersten in die dritte Person singularis. Die Geschichten wurden teilweise neu gelogen. Die auf Wunsch des Verlages angefertigte Übersetzung des Mottos hat folgenden Wortlaut:

Es grünt und blüht
der schöne Wald.
Wo ist mein Freund?
Er ist weggeritten.
Eia, wer wird mich lieben?

Berlin, Oktober 67   Bele H.